El castillo blanco

Orhan Pamuk nació en Estambul en 1952. En 2006 obtuvo el premio Nobel de Literatura. Ha realizado estudios de arquitectura y periodismo, y ha pasado largas temporadas en Estados Unidos, en las universidades de Iowa y Columbia. Es autor de ocho novelas, *Cevdet Bey and His Sons* (1982), que obtuvo los premios Orhan Kemal y Milliyet, *La casa del silencio* (Debolsillo, 2006), *El libro negro* (1990), *La vida nueva* (1994) y *Me llamo Rojo* (2001). Su éxito mundial se desencadenó a partir de los elogios que John Updike dedicó a la novela *El castillo blanco*. Desde entonces ha obtenido numerosos reconocimientos internacionales: el premio al Mejor Libro Extranjero en Francia, el premio Grinzane Cavour en Italia y el premio internacional IMPAC de Irlanda, ambos por *Me llamo Rojo*. En 2005 recibió el Premio de la Paz de los libreros alemanes. Con la publicación de *Nieve* (2004), que aborda el tema de la confrontación entre la cultura occidental y la oriental, Orhan Pamuk pasó a ser objetivo predilecto de los ataques de la prensa nacionalista turca. Orhan Pamuk se ha convertido en un símbolo de la Turquía ilustrada. *Estambul. Ciudad y recuerdos* (Literatura Mondadori, 2006) es su último libro.

El castillo blanco

ORHAN PAMUK

Traducción de Rafael Carpintero

MONDADORI

Barcelona, 2007

Título original: *Beyaz Kale*
© 1979, Orhan Pamuk
© 1979, Can Yayim Lari Ltd.
© 2007, de la edición en castellano para todo el mundo:
    Random House Mondadori, S. A.
    Travessera de Gràcia, 47-49. 08021 Barcelona
© 2007, Rafael Carpintero, por la traducción
Ilustración de la cubierta: *Suleiman II, Sultán de Turquía* (1641-1691),
Escuela italiana, siglo XVI. Schloss Ambras, Austria
© The Bridgeman Arz Library
Diseño de la portada: Luz de la Mora
Primera edición: mayo de 2007
Segunda edición: julio de 2007
Printed in Spain – Impreso en España
ISBN: 978-84-397-2061-4
Depósito legal: B. 35.645-2007
Fotocomposición: Fotocomp/4, S. A.
Impreso en Limpergraf
Mogoda, 29. Barberà del Vallès (Barcelona)
Encuadernado en Artesanía Gráfica

GM 2 0 6 1 4

A Nilgün Darvinoğlu (1961-1980),
buena persona y buena hermana

El hecho de que creamos que alguien que despierta nuestro interés anda mezclado en una vida para nosotros desconocida y de un misterio sumamente atractivo y el que pensemos que solo podremos iniciarnos en la vida gracias a su amor, ¿qué demuestra sino el inicio de un amor?

De la traducción de PROUST
de Y. K. KARAOSMANOĞLU

PRÓLOGO

Encontré este manuscrito en 1982, en ese destartalado «archivo» dependiente de la prefectura de Gebze en el que acostumbraba a hurgar durante una semana todos los veranos, en el fondo de un baúl polvoriento repleto de edictos, títulos de propiedad, registros del juzgado y libros de cuentas oficiales. Enseguida me llamó la atención porque lo habían encuadernado cuidadosamente con un papel de aguas azul que hacía recordar los sueños, porque estaba escrito con una caligrafía legible y porque brillaba reluciente entre los documentos oficiales. Una mano, creo que extraña, había escrito un encabezamiento en la primera página, como si quisiera provocar aún más mi curiosidad: «El Hijastro del Fabricante de Edredones». Nada más. Leí de inmediato y con enorme placer aquel libro en el que una mano infantil había pintado en los márgenes y en los espacios de las páginas hombrecitos de cabeza diminuta llevando ropajes de muchos botones. El manuscrito me gustó mucho, pero como me dio pereza copiarlo en un cuaderno, abusé de la confianza del ordenanza, lo bastante respetuoso como para no mantenerme bajo vigilancia continua, y lo robé de aquel basurero, al que ni siquiera el joven prefecto se atrevía a llamar «archivo», introduciéndolo en mi maletín en un abrir y cerrar de ojos.

Al principio no sabía muy bien qué hacer con el libro sino leerlo una y otra vez. Como continuaba con mis suspicacias con respecto a la Historia, quise interesarme más por el relato que narraba el manuscrito que por sus valores científicos, culturales, antropológicos o «históricos». Y eso me conducía hasta el narrador del relato en sí. Como me había visto obligado a abandonar la universidad junto con otros compañeros, me había convertido en enciclopedista, la profesión de mi abuelo; y fue entonces cuando se me ocurrió la idea de escribir una entrada sobre el autor del libro en una enciclopedia de «personalidades», de cuya parte histórica yo era responsable.

Así pues, me entregué al trabajo en los ratos libres que me dejaban la enciclopedia y la bebida. En cuanto acudí a las fuentes básicas de la época, pude comprobar de inmediato que algunos de los hechos narrados no reflejaban exactamente la realidad. Por ejemplo, es cierto que en el periodo de cinco años del gran visirato de Köprülü hubo un tremendo incendio en Estambul, pero no había pruebas de que se hubiera desencadenado una enfermedad que hubiera valido la pena registrar, y mucho menos una enorme epidemia como la del libro. Los nombres de varios visires de la época estaban escritos de manera incorrecta, unos nombres se confundían con otros y algunos se habían cambiado incluso. Los de los grandes astrólogos no se correspondían a los que aparecían en los registros de palacio, pero no le di demasiada importancia porque pensé que ese punto ocupaba un lugar especial en el libro. Por otra parte, los hechos narrados confirmaban en general los «datos» históricos. A veces pude comprobarlo hasta en los pequeños detalles: el asesinato del gran astrólogo Hüseyin Efendi y la cacería de liebres de Mehmet IV en el quiosco de Mirahor estaban contados de manera parecida a como lo hacía Naima. Se me ocurrió que el narrador, al que claramente le gustaba leer y fantasear, habría podido acudir a ese tipo de fuentes y a un buen número de otros libros y haber tomado algo de ellos. Puede que, aunque decía conocer a Evliya Çelebi, solo hubiera leído sus obras. Me habría gustado creer que también podía ser cierto lo contrario, a pesar de otros ejemplos que pude localizar, e intentaba no perder la esperanza de encontrar al autor del relato, pero la mayoría de las investigaciones que llevé a cabo en las bibliotecas de Estambul fracasaron. No pude hallar, ni en la biblioteca del palacio de Topkapı ni en otras por las que pensaba que podrían haberse dispersado, ninguno de aquellos libros y opúsculos que decía haber presentado a Mehmet IV entre 1562 y 1580. Solo encontré una pista: en aquellas bibliotecas había más obras del «calígrafo zurdo» que se menciona al final del libro. Durante un tiempo fui tras ellas pero ya estaba cansado, y de las universidades italianas a las que había inundado con una lluvia de cartas solo llegaban respuestas decepcionantes. También fracasaron las investigaciones que llevé a cabo en los cementerios de Gebze, Cennethisar y Üsküdar partiendo del nombre del autor, que aparece en el libro aunque no esté escrito en la portada. Dejé de seguir rastros y escribí el artículo de la enciclopedia basándome en el relato en sí. Tal y como me temía, no lo publicaron, pero no por falta de pruebas científicas, sino porque consideraron que el autor no era lo bastante famoso.

Quizá por eso mismo aumentó la pasión que sentía por el relato. Durante un tiempo incluso pensé en dimitir, pero me gustaban mi trabajo y mis compañeros. Así que me pasé una temporada en la que le contaba entusiasmado la historia a cualquiera que se me pusiera por delante, casi como si la hubiera escrito yo en lugar de solo haberla encontrado. Para hacerla más atractiva, hablaba de su valor simbólico y de cómo de hecho trataba de las realidades de hoy día, de que comprendía mejor el presente gracias al relato, etcétera. Gracias a mis elogios, la historia atrajo sobre todo a los jóvenes interesados en temas como la política, la violencia, las relaciones Oriente-Occidente o la democracia, pero también ellos, como mis compañeros de copas, la olvidaron poco después. Un amigo catedrático que había echado un vistazo al manuscrito debido a mi insistencia me dijo al devolvérmelo que en las casas de madera de las callejuelas de Estambul había decenas de miles de manuscritos en los que bullían aquel tipo de relatos. Y que los propietarios, si no creían que eran ejemplares del Corán y los colocaban encima de un armario, les arrancaban hoja tras hoja para encender la estufa.

Así fue como me decidí a publicar esa historia que volvía a leer una y otra vez, gracias también al aliento de una joven de gafas con un cigarrillo permanentemente entre los dedos. Los lectores podrán ver que no me he dejado llevar por preocupaciones estilísticas al verter el libro al turco actual: después de leer un par de frases del manuscrito, que dejaba abierto en una mesa, pasaba a otra mesa en la habitación en la que tenía mis papeles e intentaba exponer con palabras de nuestros días el significado que se me había quedado en la mente. El título del libro no lo puse yo, sino la editorial que consintió publicarlo. Los que lean la dedicatoria quizá se pregunten si tiene algún significado especial. El verlo todo relacionado es, en mi opinión, una enfermedad de nuestros días. Y dado que yo mismo he contraído esa enfermedad, publico esta historia.

Faruk Darvinoğlu

1

Íbamos de Venecia a Nápoles y los barcos turcos nos cortaron el paso. Éramos en total tres naves, mientras que sus galeras, surgiendo de la niebla, parecían no tener fin. De repente estallaron en nuestro barco el miedo y la inquietud; los galeotes, en su mayoría turcos y moros, lanzaban gritos de alegría que nos crispaban los nervios. La proa de nuestro barco, como las de los otros dos, estaba orientada hacia tierra, hacia poniente, pero nosotros no pudimos ser tan rápidos como ellos. Nuestro capitán, que temía ser castigado si caía cautivo, era incapaz de ordenar que se flagelara con violencia a los galeotes. Más tarde medité a menudo que toda mi vida había cambiado a causa de la cobardía de aquel capitán.

En cambio, ahora pienso que mi vida habría cambiado en realidad de no ser por aquel breve ataque de cobardía del capitán. Es algo sabido que la vida no está predeterminada y que todas las historias son una cadena de casualidades. Pero incluso los que son conscientes de esa realidad, cuando llega cierto momento de su existencia y miran atrás, llegan a la conclusión de que lo que vivieron como casualidades no fueron sino hechos inevitables. Yo también pasé por una época parecida; ahora, mientras sueño con los colores de los barcos turcos que aparecían en la niebla como fantasmas e intento escribir mi libro en una vieja mesa, creo que esa época es la mejor para empezar y acabar una historia.

Al ver que los otros dos barcos se habían deslizado por entre las galeras turcas desapareciendo en la niebla, nuestro capitán abrigó esperanzas de que pudiéramos imitarles y por fin, también gracias a nuestra insistencia, se atrevió a forzar a los galeotes, pero ya era demasiado tarde; además, a esas alturas los látigos no valían con aquellos esclavos emocionados por sus deseos de libertad. Se nos echaron encima de súbito más de diez galeras turcas rasgando de manera multicolor el desconcertante muro de la niebla. Entonces el capitán decidió combatir, supongo que más que para derrotar al enemigo para vencer su propia cobardía y su vergüenza; ordenó que se aprestaran los cañones mientras, por otro lado, se azotaba sin piedad a los cautivos, pero su ardor guerrero, que tan tarde había prendido, no tardó en apagarse. Fuimos objeto de un fuerte fuego por la borda y decidimos izar la bandera de la rendición ya que, si no lo hacíamos de inmediato, nos hundirían.

Mientras aguardábamos a los barcos turcos en medio del mar en calma, bajé a mi camarote, puse en orden mis cosas como si esperara no a los enemigos que habrían de alterar mi vida entera sino a unos amigos que vinieran de visita, abrí mi pequeño baúl y hojeé absorto mis libros. Se me humedecieron los ojos mientras pasaba las páginas de un tomo por el que había pagado un alto precio en Florencia; podía oír los gritos que llegaban del exterior, los ruidos de pisadas inquietas, el alboroto; tenía presente que poco después me separarían del libro que tenía en las manos, pero no quería pensar en nada de eso sino concentrarme en lo que estaba escrito en sus páginas. Era como si entre los razonamientos, las frases y las ecuaciones del libro se encontrara todo mi pasado y yo no quisiera perderlo; mientras leía las líneas que se me venían al azar a los ojos, susurrándolas, casi como si rezara, me habría gustado grabarme el libro entero en la mente para que así, cuando llegaran, pudiera recordar todos los colores de mi pasado como si evocara las palabras amadas de un libro memorizado con placer y no pensar en ellos y en lo que me harían sufrir.

Por aquel entonces yo era otra persona a quien su madre, su prometida y sus amigos llamaban por otro nombre. De vez en cuando todavía sueño con aquella persona que en tiempos era yo, o que ahora creo que era yo, y me despierto sudando. Aquel hombre, cuyos colores pálidos recordaban los tonos oníricos de los países inexistentes, los animales que nunca vivieron y las armas inverosímiles que más tarde estuvimos inventándonos durante tanto tiempo, tenía entonces veintitrés años. Había estudiado «ciencias y artes» en Florencia y Venecia, creía entender de astronomía, matemáticas, física y pintura; por supuesto, era un engreído que había engullido debidamente todo lo que se había hecho antes de él y que lo juzgaba con desprecio. No dudaba de que él haría cosas mejores, de que era inigualable, sabía que era más inteligente y creativo que nadie: en suma, era un joven cualquiera. Cuando, como me ocurre a menudo, siento la necesidad de inventarme un pasado, me cuesta trabajo creer que yo era aquel joven que conversaba con su amada de sus pasiones, sus proyectos, del mundo y la ciencia y que encontraba natural que ella le admirara. Pero me consuelo pensando que algún día los pocos que lean pacientemente hasta el final esto que estoy escribiendo comprenderán que aquel joven no era yo. Puede que esos pacientes lectores, como me ocurre a mí ahora, piensen que la historia de aquel muchacho cuya vida se vio interrumpida mientras leía los libros que tanto amaba continuará algún día a partir de donde se detuvo.

Cuando por fin abordaron nuestro barco guardé mis libros en el baúl y salí. En la cubierta se vivía un tremendo caos. Los habían reunido a todos y les habían ordenado que se desnudaran. En cierto momento se me pasó por la cabeza saltar por la borda aprovechando la confusión, pero pensé que me asaetearían por la espalda o que me atraparían rápidamente y me matarían y, además, no sabía a cuánta distancia estábamos de tierra. En un primer momento no me hicieron el menor caso. Los esclavos musulmanes, libres de sus cadenas, lanzaban gritos de alegría y algunos de ellos se dedicaban a vengarse de los cómitres. Poco después encontraron mi camarote, entraron en él y saquearon mi equipaje. Revolvieron los baúles buscando oro y, después de arrebatarme algunos de mis libros y todas mis pertenencias, uno de ellos me agarró del brazo mientras yo hojeaba absorto un par de volúmenes que me habían dejado y me condujo hasta uno de los capitanes.

El arráez, del cual luego supe que era un genovés converso, se portó bien conmigo. Me preguntó de qué entendía. Para que no me encadenaran al remo le expliqué que tenía conocimientos de astronomía y que podía encontrar el rumbo de noche, pero eso no les interesó. Así pues, confiando en el volumen de anatomía que me habían dejado, afirmé que era médico. Pero cuando poco después vi al hombre con el brazo cortado que me mostraron les repliqué que no era cirujano. Se enfurecieron y estaban a punto de encadenarme a un banco cuando el capitán, al ver mis libros, me preguntó si acaso entendía de la orina y el pulso. Mi respuesta afirmativa no solo me libró del remo sino que también me permitió salvar un par de libros.

Pero aquellos privilegios me costaron caros. Los otros cristianos, a quienes habían convertido en galeotes, me odiaron de inmediato. De haber podido me habrían matado en la bodega en la que nos encerraban por las noches, pero también me temían porque rápidamente había establecido buenas relaciones con los turcos. Habían empalado a nuestro cobarde capitán, que acababa de expirar, y a los cómitres, a quienes habían cortado las orejas y las narices para que sirviera de ejemplo, les habían abandonado en el mar en una almadía. Cuando se cerraron por sí solas las heridas del puñado de turcos que traté, usando la lógica y no mis conocimientos de anatomía, por fin todos creyeron que era médico. Hasta algunos de mis envidiosos enemigos, que insistían ante los turcos en que no lo era, me mostraban sus llagas por la noche en la bodega.

Entramos en Estambul en medio de una espléndida ceremonia. El sultán niño nos contemplaba. Izaron sus estandartes en lo más alto de los mástiles y, por debajo de ellos, nuestras banderas y las imágenes de la Virgen María y las cruces colgadas boca abajo para que sirvieran de blanco a sus matones.

De repente, los cañones comenzaron a hacer gemir los cielos. Aquella ceremonia, de las que luego tantas vería desde tierra con tristeza, fastidio y agrado, duró largo rato y hubo quien se desmayó por el sol. Poco antes del anochecer anclamos en Kasımpaşa. Nos encadenaron para llevarnos ante el sultán, equiparon a nuestros soldados con sus armaduras del revés para burlarse de ellos, colocaron argollas de hierro en los cuellos de nuestros capitanes y oficiales y nos llevaron a palacio mientras, muy contentos y divertidos, tocaban las trompetas y tambores que habían tomado de nuestro barco. El pueblo, dispuesto a lo largo del camino, nos observaba con alegría y curiosidad. El sultán, sin que nosotros llegáramos a verlo, seleccionó a los cautivos que le correspondían por derecho. Y al resto nos llevaron hasta Gálata y nos encerraron en las mazmorras de Sadık Bajá.

La prisión era un lugar horrible y en sus sombrías y mínimas celdas se pudrían cientos de cautivos. Allí encontré gente en abundancia para poner en práctica mi nueva profesión e incluso curé a algunos. Extendí recetas para los guardianes a los que les dolían la espalda o las piernas. Y así fue como, de nuevo, me separaron de los demás y me proporcionaron una buena celda en la que daba el sol. Estaba intentando dar las gracias a Dios por la situación en la que me encontraba viendo el estado en que estaban los demás cuando una mañana me unieron al resto y me explicaron que me llevaban a trabajar. Cuando les dije que era médico y que entendía de medicina y de ciencia se rieron de mí; estaban elevando los muros del jardín del palacio del bajá y hacían falta más hombres. Cada mañana nos encadenaban antes de que saliera el sol y nos sacaban fuera de la ciudad. Al atardecer, mientras regresábamos a nuestra prisión encadenados unos a otros después de habernos pasado el día picando piedra, yo pensaba que Estambul era una ciudad hermosa pero que allí era necesario ser señor y no esclavo.

Con todo, no era un esclavo cualquiera. Ahora no solo trataba a los cautivos que se pudrían en las mazmorras, sino también a otros que habían oído que era médico. Gran parte de mis honorarios me veía obligado a dárselos a los guardias y a los intendentes de esclavos que me sacaban de allí en secreto. Con lo que podía ocultarles empecé a pagarme clases de turco. Mi maestro era un buen anciano que se encargaba de todo tipo de recadillos para el bajá. Le alegraba ver que aprendía la lengua con rapidez y me aseguraba que pronto me convertiría al islam. En cada ocasión aceptaba azorado el pago por las clases. También le daba dinero para que me trajera comida porque estaba decidido a cuidarme lo mejor posible.

Una tarde brumosa uno de los intendentes vino a mi celda; el bajá quería verme. Sorprendido y nervioso, me preparé enseguida. Pensaba que alguno de los industriosos parientes que tenía en mi tierra, quizá mi padre, quizá mi futuro suegro, habría enviado el pago por mi rescate. Mientras caminábamos en medio de la niebla por calles estrechas y tortuosas, creía que de repente llegaría a mi casa o que me encontraría de pronto a los míos ante mí como si me acabara de despertar de un sueño. A veces también pensaba que quizá habrían encontrado la manera de enviar a alguien como mediador y que de inmediato, en medio de esa misma niebla, me embarcarían y me enviarían de regreso a mi país, pero en cuanto entramos en la mansión del bajá comprendí que no me salvaría con tanta facilidad. La gente andaba por allí de puntillas.

Primero me llevaron a una sala y después de esperar un rato me introdujeron en una habitación. Allí había un hombre pequeño y de aspecto agradable recostado en un diván y tapado con una manta. Junto a él había otro, este enorme. El que estaba recostado era el bajá y me dijo que me acercara. Hablamos. Me preguntó algunas cosas. Le dije que en realidad había estudiado astronomía, matemáticas y algo de ingeniería, pero que también entendía de medicina y que había curado a mucha gente. Seguía preguntándome y yo me disponía a contestarle cuando de repente dijo que teniendo en cuenta lo rápido que había aprendido a hablar turco debía de ser un hombre inteligente, y añadió que padecía una enfermedad que ninguno de los médicos había sido capaz de curar y que, como había oído hablar de mí, había decidido probar conmigo.

El bajá empezó a describirme su enfermedad de tal manera que casi me vi obligado a pensar que se trataba de un mal único que solo padecía él sobre la superficie de la Tierra porque sus enemigos habían engañado a Dios con sus calumnias. Sin embargo, su problema era el asma común que todos conocemos. Le hice todo tipo de preguntas, le pedí que tosiera y luego bajé a la cocina y, con lo que encontré por allí, le preparé unas píldoras verdes de menta y un jarabe para la tos. Como el bajá temía ser envenenado, me tomé ostensiblemente un trago del jarabe y una de las píldoras. Me dijo que saliera de la mansión con cuidado de que nadie me viera y que regresara a las mazmorras. El intendente me lo explicó luego: el bajá no quería que los otros médicos me tuvieran envidia. Fui también al día siguiente, le escuché toser y le prescribí las mismas medicinas. Le gustaban como a un niño las coloridas píldoras que depositaba en la palma de su mano. Al regresar a mi celda recé por su curación. Al día siguiente se levantó el viento del nordeste con una brisa tan agradable que llegué a pensar que con aquel tiempo cualquier enfermo sanaría aunque no quisiera, pero nadie me mandó llamar.

Un mes más tarde, cuando de nuevo vinieron a buscarme a medianoche, el bajá estaba en pie moviéndose con soltura. Me alegró oír que reprendía a algunos de sus hombres respirando con toda facilidad. Le complació verme y me dijo que yo le había curado y que era un buen médico: ¿qué era lo que deseaba de él? Yo sabía que no me manumitiría ni me enviaría a casa, así que me quejé de mi celda y mis cadenas; le dije que si pudiera dedicarme a la medicina, a la astronomía y a la ciencia les podría ser de más ayuda y le expliqué que me agotaban sin sentido en trabajos duros. No sé cuánto de aquello escucharía, y gran parte del dinero de la bolsa que me entregó se lo quedaron los guardias.

Una semana más tarde el intendente llegó una noche y, después de hacerme jurar que no huiría, me liberó de mis cadenas. De nuevo me llevaban a trabajar, pero ahora los alguaciles me mostraban cierta consideración. Cuando tres días más tarde el intendente me trajo ropas nuevas, comprendí que el bajá me protegía.

Por las noches me seguían llamando de diversas mansiones. Prescribía medicamentos a ancianos corsarios aquejados de reumatismo y a jóvenes soldados con ardor de estómago y sangraba a los que sufrían irritaciones, dolor de cabeza o a quienes habían perdido el color. En cierta ocasión el hijo tartamudo de un mayordomo me recitó un poema cuando por fin se lanzó a hablar una semana después de que le hiciera ingerir un jarabe.

Así pasó el invierno. A principios de primavera supe que el bajá, que llevaba meses sin preguntar por mí, se había hecho a la mar con toda su flota. Un par de hombres que fueron testigos de mi rabia y de mi desesperación a lo largo de los días del verano me dijeron que no debía quejarme de mi situación, ya que ganaba un buen dinero como médico. Un antiguo esclavo, que se había convertido al islam hacía muchos años y se había casado, me aconsejó que huyera. Mantenían a los esclavos que les resultaban útiles y no les permitían que regresaran nunca a sus países. Y si me convertía al islam como él, me manumitirían, pero eso sería todo. Quizá porque pensaba que me contaba todo aquello para tirarme de la lengua, le contesté que no tenía la menor intención de huir. Pero me faltaba valor, no ganas. A los fugados siempre los atrapaban sin que hubieran llegado demasiado lejos. Yo era quien por la noche aplicaba ungüentos en sus celdas a aquellos desdichados después de las palizas que les propinaban.

Ya cerca del otoño la flota del bajá regresó de su campaña; saludaron al sultán con salvas de cañón y, como habían hecho el año anterior, intentaron animar a la ciudad, pero era evidente que aquella vez la cosecha no les había ido nada bien. Solo pudieron traer un puñado de esclavos a las mazmorras.

Y luego nos enteramos de que los venecianos les habían quemado seis barcos. Quise encontrar la manera de hablar con los cautivos y así quizá tener noticias de mi tierra, pero la mayoría eran españoles: pobres hombres silenciosos, ignorantes y asustados que no estaban en situación de hablar como no fuera para mendigar comida o ayuda. Solo uno de ellos atrajo mi atención: había perdido el brazo pero aún tenía esperanzas; decía que uno de sus antepasados había vivido las mismas aventuras, aunque no había llegado a perder por completo el brazo, y que luego se había salvado y había escrito una novela de caballerías, así que él creía que también se salvaría para poder hacer lo mismo. Más tarde, en los años en los que me inventaba historias para vivir, recordé a aquel hombre que soñaba con vivir para contarlas. Sin que pasara mucho se desató en las mazmorras una enfermedad contagiosa y aquella epidemia, de la que me protegí abrumando con sobornos a los guardianes, se llevó consigo a más de la mitad de los cautivos.

A los que sobrevivieron comenzaron a llevárselos a nuevos trabajos a los que yo ahora no iba. Por las noches me lo contaban: iban hasta el extremo del Cuerno de Oro y allí los ponían a las órdenes de maestros carpinteros, sastres y pintores y les hacían trabajar para construir barcos, fortalezas y torres de cartón. Luego supimos que el bajá había pedido la mano de la hija del gran visir para su hijo y que preparaba una boda fastuosa.

Una mañana me llamaron de la mansión del bajá. Fui creyendo que se le había declarado de nuevo el asma. Estaba ocupado y me condujeron a una habitación para que esperara y allí tomé asiento. Poco después se abrió la otra puerta del cuarto y entró un hombre unos cinco o seis años mayor que yo. Al mirarle a la cara me quedé estupefacto, ¡y de repente tuve miedo!

2

El hombre que había entrado en la habitación se parecía increíblemente a mí. ¡Allí estaba yo! Eso fue lo que pensé en el primer momento. Como si alguien que quisiera jugar conmigo me hubiera vuelto a meter por la puerta contraria a la que había entrado y me dijera: «Mira, así es como deberías ser, así deberías haber cruzado la puerta, así deberías mover los brazos, ¡así deberías mirar al otro tú que está sentado en la habitación!». Nos saludamos cuando nuestras miradas se cruzaron. Pero él no parecía muy sorprendido. Entonces decidí que no se parecía tanto a mí; él llevaba barba y yo tenía la impresión de haber olvidado tanto mi cara como mi aspecto. Mientras se sentaba frente a mí se me ocurrió pensar que hacía un año que no me miraba al espejo.

Poco después se abrió la puerta por la que yo había entrado y le invitaron a pasar. Mientras esperaba pensé que aquello no era una broma magistralmente planeada sino una elucubración de mi mente turbulenta. Porque por aquellos días imaginaba cosas continuamente: regresaba a casa, todos me recibían, me liberaban de inmediato, en realidad seguía dormido en mi camarote y todo aquello era un sueño, toda esa clase de fantasías para consolarme. Y estaba a punto de creer que aquello también era una de dichas fantasías pero que en esta ocasión se haría realidad, o bien que era un indicio de que todo cambiaría de repente y volvería a su armonía anterior, cuando la puerta se abrió y me llamaron.

El bajá estaba en pie, algo más allá de mi gemelo. Me hizo besarle los faldones, me preguntó por la salud y yo me dispuse a exponerle los padecimientos que sufría en la celda y mis deseos de regresar a mi país, pero ni siquiera me escuchó. El bajá recordaba que le había contado que sabía de ciencias, astronomía e ingeniería, y bien, ¿entendía algo de esos cohetes que se lanzaban hacia el cielo, de pólvora? Le contesté al instante que sí, pero cuando mi mirada se cruzó por un momento con la del otro sospeché que me habían tendido una trampa.

El bajá dijo que la boda que estaba organizando sería inigualable y que quería preparar un espectáculo de fuegos de artificio pero que no debía parecerse a nada que se hubiera hecho antes. Mi gemelo, al que el bajá llamó solamente «el Maestro», había trabajado previamente con un maltés ya fallecido en los espectáculos que habían hecho los pirotécnicos con ocasión del nacimiento del sultán, así que algo sabía de aquellos asuntos, pero el bajá había pensado que yo podría ayudarle. ¡Nos completaríamos el uno al otro! Si le preparábamos un buen espectáculo, el bajá sabría recompensarnos. Como parecía ser un buen momento, intenté decirle que lo que yo quería era volver a mi país, pero él me preguntó si había estado con alguna mujer desde mi llegada y al saber mi respuesta me contestó que, si no lo hacía, para qué me servía la libertad. Empleaba el mismo vocabulario que usaban los guardianes y yo debí de mirarle como un imbécil porque lanzó una carcajada. Luego se volvió a aquel gemelo mío al que llamaba «Maestro»: la responsabilidad sería suya. Salimos.

Esa mañana, mientras iba a casa de mi gemelo, pensaba que no tenía nada que enseñarle. Pero resultó que no sabía más que yo de aquello. Al menos, nuestros conocimientos nos permitían mantener la misma opinión: todo el problema residía en conseguir una buena mezcla de alcanfor. Y para eso lo único que podíamos hacer era trabajar con pesas y medidas, prender por la noche a los pies de la muralla las mezclas que habíamos preparado cuidadosamente y extraer conclusiones de lo que veíamos. Mientras hacíamos que nuestros hombres prendieran los cohetes que habíamos preparado, y que dejaban admirados a los niños que nos contemplaban, nosotros, como haríamos mucho después cuando a plena luz del día trabajáramos en aquella increíble arma, nos quedábamos de pie bajo árboles oscuros y esperábamos las consecuencias con curiosidad e impaciencia. Luego, a veces a la luz de la luna, a veces en la más negra oscuridad, yo intentaba transcribir en un cuadernito lo que habíamos visto. Antes de que se desvaneciera la noche volvíamos a la casa del Maestro, que daba al Cuerno de Oro, y hablábamos largo rato sobre los resultados obtenidos.

La casa era pequeña, sofocante y desagradable. Se entraba en ella por una calleja retorcida convertida en fango por un agua sucia que nunca llegaría a saber de dónde procedía. En el interior apenas había muebles, pero cada vez que entraba en la casa me poseía un extraño agobio, como si me ahogara. Quizá fuera ese hombre que me pedía que le llamara «Maestro» porque no le gustaba su nombre, herencia de su abuelo, el que me provocaba dicha sensación: me observaba como si quisiera saber algo de mí pero en ese momento ignorara de qué se trataba. Como no estaba acostumbrado a sentarme en los divanes colocados a los pies de las paredes, yo permanecía de pie mientras discutíamos nuestros experimentos y a veces recorría nervioso la habitación arriba y abajo. Creo que al Maestro aquello le gustaba: él estaba sentado y, aunque fuera a la luz de una pálida lámpara, podía observarme a placer.

Mientras notaba su mirada sobre mí, me ponía nervioso que no percibiera nuestro parecido. En un par de ocasiones pensé que lo intuía pero que se comportaba como si no se hubiera dado cuenta. Era como si estuviera jugando conmigo: me hacía sufrir un pequeño experimento y así conseguía cierta información que yo no llegaba a comprender. Porque en los primeros días siempre me miró así: como si estuviera aprendiendo y al aprender se despertara su curiosidad. Pero parecía que no se atreviera a dar un paso más para profundizar en aquella extraña información. ¡Ese desapego era lo que me agobiaba, lo que hacía que la casa me resultara asfixiante!

También era cierto que su retraimiento me envalentonaba, pero no me tranquilizaba. En un par de ocasiones me contuve cuando noté que estaba intentando llevarme hacia alguna discusión indeterminada, una vez mientras hablábamos sobre nuestros experimentos y otra cuando me preguntó por qué todavía no era musulmán. Él notó que me inhibía y yo comprendí que me despreciaba, y aquello me enfureció. Quizá esa fuera la única cuestión sobre la que estábamos de acuerdo en aquellos días: ambos nos despreciábamos. Me contenía pensando que si éramos capaces de preparar aquel espectáculo de fuegos artificiales sin sufrir ningún accidente ni meternos en problemas quizá me permitieran regresar a mi país.

Una noche, con el entusiasmo triunfante que le produjo un cohete que se elevó hasta una altura increíble, el Maestro me dijo que algún día podría preparar un cohete que fuera incluso hasta la Luna, que el problema solo estaba en encontrar la adecuada mezcla de pólvora y el receptáculo para contenerla. Yo le estaba respondiendo que la Luna estaba muy lejos cuando me interrumpió: ya sabía que la Luna estaba lejos, pero ¿acaso no era el astro más próximo a la Tierra? Le di la razón pero no se tranquilizó como yo había supuesto, sino que se quedó aún más desasosegado, aunque no dijo una palabra más.

Dos días más tarde, a medianoche, volvió a preguntarme: ¿cómo podía estar tan seguro de que la Luna era el astro más cercano? Quizá nos estábamos dejando engañar por una ilusión óptica. Entonces le hablé por primera vez de la educación en astronomía que había recibido. Le expliqué brevemente las principales leyes de la cosmografía de Ptolomeo. Veía que me escuchaba con atención pero se abstenía de decir cualquier cosa que desvelara su curiosidad. Cuando por fin guardé silencio algo después, me dijo que también él conocía a Ptolomeo, pero que aquello no alteraba su sospecha de que podía existir un astro más cercano que la Luna. Poco antes del amanecer hablaba de él como si ya tuviera pruebas que pudieran demostrar su existencia.

Al día siguiente me puso en las manos un libro escrito con muy mala caligrafía. A pesar de mi insuficiente turco, pude descifrarlo: era el *Almagesto*, creo, pero un resumen secundario extraído, no de la propia obra, sino de otro extracto. A mí solo me atraían los nombres árabes de los astros y en aquel momento lo cierto es que no me interesaban demasiado. El Maestro se enfureció cuando vio que dejaba el libro sin que me hubiera entusiasmado lo más mínimo. Había pagado siete monedas de oro por aquel volumen y lo más correcto habría sido que yo dejara de lado mi presunción y lo hojeara para echarle un vistazo. Mientras volvía pacientemente como un buen estudiante las páginas del libro, que había vuelto a abrir, me encontré con un diagrama primitivo. Los planetas estaban situados en esferas dibujadas con trazos simples con respecto a la Tierra. La situación de las esferas era la correcta, pero el dibujante no tenía la menor idea en cuanto a la armonía existente entre ellas. Luego me llamó la atención un pequeño planeta entre la Luna y la Tierra; si se observaba más de cerca podía verse, porque la tinta estaba aún fresca, que había sido añadido con posterioridad al manuscrito. Después de hojearlo hasta el final se lo devolví al Maestro. Me dijo que él encontraría ese pequeño astro, y no parecía estar de broma. No le contesté y se produjo un silencio que nos puso nerviosos a ambos. No se volvió a mencionar la cuestión porque a partir de entonces no logramos que ningún cohete subiera lo bastante alto como para que pudiéramos volver al tema de la astronomía. Nuestro pequeño triunfo se quedó en una casualidad cuyo secreto se nos escapaba.

Pero, en lo que se refería a la potencia y el brillo de la luz y las llamas, conseguíamos muy buenos resultados y sabíamos el secreto de nuestro éxito: en una de las droguerías de Estambul que el Maestro recorría, encontró un polvo cuyo nombre ignoraba el mismo propietario de la tienda; decidimos que aquel polvo amarillento que producía un perfecto brillo era una mezcla de azufre con piedra meteoro. Luego, para darle color al brillo, le añadimos al polvo todos los materiales que se nos vinieron a la cabeza, pero solo conseguimos marrones parecidos y un pálido verde. Según el Maestro, incluso aquello era lo mejor que nunca se había hecho en Estambul.

Así fue también el espectáculo que ofrecimos la segunda noche de los esponsales y todo el mundo lo reconoció, hasta los enemigos que querían quitarnos el puesto conspirando a nuestras espaldas. Me puse muy nervioso cuando nos dijeron que el sultán había venido para vernos desde la otra orilla del Cuerno de Oro, y me aterrorizaba pensar que todo iría mal y que tardaría años en regresar a mi país; recé cuando nos ordenaron que comenzáramos. Primero disparamos unos cohetes sin color que se elevaban rectísimos para saludar a los invitados y preparar el comienzo del espectáculo; inmediatamente después pusimos en marcha la rueda que el Maestro y yo llamábamos «el molino»; el cielo se volvió rojo, amarillo y verde de repente con un terrible estruendo, todo más hermoso aún de lo que habíamos esperado; la rueda giraba cada vez más rápido según prendían los cohetes y de repente se detuvo iluminando la noche como si fuera de día. Por un instante me creí en Venecia: tenía ocho años, era la primera vez que veía un espectáculo así y, como ahora, era infeliz porque, en lugar de a mí, le habían puesto mi nuevo traje rojo a mi hermano mayor, que se había roto el suyo en una pelea el día anterior; también esa noche los cohetes estallaban rojos, con el mismo color de aquel traje de múltiples botones que a mi hermano le estaba estrecho y que yo no pude llevar esa noche y juré no vestir nunca.

Luego pusimos en marcha el ingenio al que llamábamos «la fuente»; comenzó a verter fuego por la boca de una armazón de la altura de cinco hombres; los de la otra orilla tenían que ver aún mejor que eran llamas, pero luego, cuando de la boca de la fuente comenzaron a brotar cohetes, debieron de entusiasmarse tanto como nosotros. Pero no queríamos que cediera su entusiasmo: por el Cuerno de Oro aparecieron unas almadías. Primero rodearon los bastiones de las torres y fortalezas de cartón prendiéndoles fuego; ¡todo aquello representaba las victorias de los años anteriores! Al pasar junto a los barcos del año en que yo caí cautivo, lanzaron una lluvia de cohetes sobre nuestras velas; así reviví el día en que me hicieron prisionero. Mientras los barcos de cartón ardían y se hundían, desde ambas orillas gritaban «¡Dios, Dios!». Luego, lentamente, pasamos a nuestros dragones; derramaban llamas por los ollares, por la boca y por las orejas. Los enfrentamos en una lucha y, como habíamos planeado, al principio ninguno podía derrotar al otro; calentamos aún más el ambiente con los cohetes que lanzamos desde la orilla, luego, cuando el cielo se ennegreció un poco, nuestros hombres de las almadías prendieron las ruedas, y los dragones comenzaron a elevarse lentamente hacia el cielo. Ahora todos gritaban con admiración y miedo. Cuando los dragones se lanzaron de nuevo el uno contra el otro con enorme estruendo, dispararon todos los cohetes de las almadías; y las mechas que habíamos colocado en el cuerpo de las criaturas debieron de prender en el momento justo, porque todo se convirtió en un auténtico infierno, tal y como pretendíamos. Comprendí que habíamos triunfado cuando oí que cerca de nosotros un niño lloraba a moco tendido; el padre, olvidado de su hijo, miraba el pavoroso cielo con la boca abierta. «Ahora podré volver a mi país», pensé. Y en eso apareció desde el mismísimo infierno la criatura a la que yo llamaba «el Diablo» impulsada por una oscura almadía que nadie podía ver; le habíamos puesto tantos cohetes que temíamos que volara también la almadía con nuestros hombres en ella, pero todo fue bien. Mientras los dragones desaparecían al agotarse sus llamas, el Diablo ascendió al cielo con todos los cohetes encendidos a la vez; luego esparció por el aire bolas de fuego que surgían de todo su cuerpo estallando atronadoras. Me excitó pensar que por un instante habíamos sumido a todo Estambul en el terror y el pánico. Era como si yo mismo me hubiera asustado, como si por fin hubiera encontrado el valor necesario para hacer lo que de verdad quería en la vida, como si en ese momento no importara en qué ciudad me encontraba: me habría gustado que el Diablo hubiera permanecido allí en lo alto toda la noche esparciendo llamas sobre todos nosotros. Después de balancearse un poco a izquierda y derecha, sin lastimar a nadie y haciendo que todos gritaran entusiasmados en ambas orillas, descendió hacia el Cuerno de Oro. Incluso mientras se hundía seguía lanzando llamas.

Al día siguiente el bajá le envió al Maestro una bolsa de monedas de oro, como en los cuentos. Había quedado muy contento con el espectáculo, pero le extrañaba la victoria del Diablo. Continuamos con el espectáculo otras diez noches. De día se reparaban las maquetas quemadas, preparábamos nuevos trucos y hacíamos que los cautivos que nos traían de las mazmorras cargaran los cohetes. Uno de los esclavos se quedó ciego al quemarse la cara cuando encendió por descuido diez bolsas de pólvora.

Una vez que se acabaron las fiestas de la boda no volví a ver al Maestro. Estaba más tranquilo ahora que me había librado de la celosa mirada de aquel hombre curioso que me observaba el día entero, pero no es que mi mente olvidara los agitados días que había pasado con él. Cuando volviera a mi país le hablaría a todo el mundo de aquel hombre que, aunque se parecía tanto a mí, nunca mencionó el parecido. Me pasaba el día en mi celda y trataba a los enfermos para pasar el tiempo. Cuando supe que el bajá me mandaba llamar acudí emocionado, casi corriendo de felicidad. Primero me elogió como de pasada, el espectáculo pirotécnico había satisfecho a todo el mundo, se habían divertido mucho, yo tenía mucho talento, etcétera. Y de repente, lo dijo: si me convertía en musulmán me manumitiría de inmediato. Me quedé sorprendido, estupefacto, le dije que lo que yo quería era regresar a mi país y, tartamudeando como un imbécil, incluso cometí la niñería de hablarle de mi madre y mi prometida. El bajá repitió las mismas palabras como si no me hubiera oído. Guardé silencio. Por alguna extraña razón se me venían a la cabeza mis amigos de la infancia, holgazanes y traviesos, niños odiosos que levantaban la mano a sus padres. El bajá se enfureció conmigo cuando le dije que no pensaba renegar de mi religión. Volví a mi celda.

Tres días más tarde, el bajá me llamó de nuevo. Ahora estaba de buen humor. Yo aún no había podido tomar ninguna decisión porque no sabía si el renegar de mi religión me ayudaría a escapar o no. El bajá me preguntó qué opinaba, ¡él mismo me casaría con una hermosa muchacha de allí! Pero cuando, en un rapto de valor, le contesté que no iba a renegar, primero se sorprendió un tanto y luego me dijo que era estúpido. Yo no tenía a nadie que fuera a dejar de mirarme a la cara por haber renegado. Luego me habló un rato sobre el islam y al ver que guardaba silencio me envió de vuelta a mi celda.

La tercera vez que fui no me llevaron ante el bajá. Un mayordomo me preguntó qué había decidido. Existía la posibilidad de que hubiera cambiado de opinión, ¡pero desde luego no porque me lo pidiera un mayordomo! Le contesté que en ese momento no me encontraba preparado para renegar. El mayordomo me agarró por el brazo, me llevó al piso inferior y me entregó a otro hombre. Era un tipo tan delgado como los que a menudo veo en sueños que me tomó del brazo con tanta delicadeza como si fuera un enfermo que se conduce al lecho. Mientras me conducía hacia un rincón del jardín se nos acercó otro individuo, tan real como para no poder formar parte de mis sueños: se trataba de un hombre enorme. Ambos se detuvieron al pie de un muro y allí me maniataron, el que no era tan grande llevaba un hacha en la mano: el bajá había ordenado que si no me convertía al islam me decapitaran en ese mismo instante. Me quedé paralizado.

«Por favor, no tan pronto», pensé. Ellos me miraban con lástima. No dije nada. Creía que no me lo iban a preguntar más cuando volvieron a hacerlo. Y de repente pasó una cosa que convirtió mi religión en algo por lo que fácilmente valía la pena morir; me consideré importante pero, por otro lado, me compadecía de mí mismo, como les pasaba a aquellos dos que intentaban obligarme a renegar a fuerza de pedírmelo.

Cuando me obligué a pensar en cualquier otra cosa, se me apareció el paisaje que veía desde la ventana de nuestra casa que daba al jardín de atrás: sobre una mesa había una bandeja con incrustaciones de nácar con melocotones y cerezas, tras la mesa había un diván de enea en el que habían colocado unos cojines del mismo color verde que el marco de la ventana y más allá se veía un pozo en cuyo brocal se posaba un gorrión, y olivos y cerezos. En el nogal que había entre ellos habían atado con largas cuerdas un columpio bastante alto que una brisa apenas perceptible balanceaba suavemente. Cuando volvieron a preguntármelo les contesté que no renegaría. Allí mismo había un tocón y me obligaron a arrodillarme y a apoyar la cabeza en él. En un primer momento cerré los ojos pero luego los abrí. Uno de ellos tomó el hacha. El otro dijo que quizá me hubiera arrepentido, así que me incorporaron. Debía pensármelo un poco más.

Y mientras yo me lo pensaba, ellos empezaron a cavar la tierra justo junto al tocón. Pensé que allí sería donde me enterrarían y en mi interior se alzó el miedo, aparte de a la muerte en sí, a ser enterrado vivo. Me estaba diciendo que tomaría una decisión para cuando acabaran la fosa, cuando se me acercaron después de haber cavado un hoyo solo superficial. Entonces pensé en lo estúpido que sería morir allí. Tenía la intención de convertirme en musulmán pero ya no me daba tiempo. Si hubiera vuelto a las mazmorras, a esa querida celda a la que me había acostumbrado, habría podido sentarme toda la noche a pensar y podría haberme decidido a renegar; pero me era imposible hacerlo de inmediato.

Me agarraron y me obligaron a arrodillarme. Me sorprendió ver a alguien cruzar por entre los árboles como si volara justo antes de apoyar la cabeza en el tocón: yo, con una barba larga, caminaba en silencio por allí sin que mis pies llegaran a tocar el suelo. Me dispuse a llamar a esa imagen mía que pasaba entre los árboles, pero no me salió la voz y apoyé la cabeza en el tocón. Entonces me rendí pensando que lo que se acercaba no sería distinto al sueño y esperé. Notaba frío en la nuca y en la espalda, no quería pensar, pero el frío no me dejaba otra opción. Luego me pusieron en pie y me dijeron que el bajá se enfurecería. Me reprendieron mientras me desataban las manos: no era sino un enemigo de Dios y de Mahoma. Me llevaron arriba, a la mansión.

El bajá, después de hacerme besarle los faldones, me desagravió; me comentó que le alegraba que no hubiera renegado de mi religión aun a coste de mi vida, pero enseguida empezó a decir justo lo contrario: que si me obstinaba estúpidamente, que si el islam era una religión mucho más sublime, etcétera. Y según hablaba se iba irritando: estaba decidido a castigarme. Luego comenzó a contarme que le había hecho una promesa a alguien y yo comprendí que aquella promesa me había librado de ciertas desgracias que podrían haberme caído encima y por fin pude deducir que el hombre al que le había hecho la promesa, y que, por lo que pude deducir de lo que contaba, era un tipo bastante extraño, no era sino el Maestro. Fue entonces cuando el bajá me dijo de repente que me había regalado al Maestro. Al principio le miré sin entenderle y entonces el bajá me lo explicó: ahora yo era esclavo del Maestro, incluso le había dado un documento al respecto, y ahora mi manumisión estaba en sus manos, o lo que quisiera hacer conmigo. Luego el bajá desapareció saliendo de la sala.

El Maestro también se encontraba en la mansión y me estaba esperando abajo. Entonces comprendí que había sido a él a quien había visto entre los árboles. Fuimos caminando a su casa. Me dijo que sabía desde el principio que no renegaría de mi religión. Hasta había preparado una habitación para mí en su casa. Me preguntó si tenía hambre. Yo seguía sufriendo el miedo a la muerte y no me encontraba como para comer nada. Con todo, fui capaz de tomar unos bocados del pan y del yogur que me ofreció. El Maestro me contemplaba complacido mientras yo masticaba. Me miraba como el campesino que observa contento cómo come el caballo que acaba de comprar en el mercado pensando en lo que le trabajará en el futuro. Recordé a menudo aquella mirada del Maestro hasta que se olvidó de mí en cuanto se entregó a los detalles del reloj y la teoría cosmográfica que presentaría al sultán.

Después me dijo que yo le enseñaría todo; por eso me había pedido al bajá y solo después de que lo hiciera podría manumitirme. Tuvieron que pasar meses para que llegara a saber a qué se refería con aquel «todo». «Todo» lo que había aprendido en escuelas y colegios: ¡toda la astronomía, la medicina, la ingeniería y la ciencia que se enseñaba allí, en mi país! Y después, todo lo que estaba escrito en mis libros, que permanecían en mi celda y que al día siguiente hizo traer, todo lo que había oído y visto, mis ideas sobre ríos, lagos, nubes y mares y las causas de los terremotos y los truenos… Poco antes de medianoche añadió que más que nada le interesaban las estrellas y los planetas. Por la ventana abierta entraba la luz de la luna y me dijo que al menos debíamos encontrar alguna prueba definitiva sobre la existencia o no de aquel astro entre la Luna y la Tierra. Mientras yo observaba de nuevo y sin querer aquel inquietante parecido entre nosotros dos con la mirada temerosa de ese día en que había abrazado a la muerte, el Maestro dejó de usar la palabra «enseñar»: investigaríamos juntos, descubriríamos juntos, lo llevaríamos a cabo todo juntos.

Así pues, comenzamos a trabajar como dos alumnos aplicados que estudian hasta cuando no están en casa los mayores que les vigilan por la puerta entreabierta, como dos buenos hermanos. Yo, sobre todo al principio, me sentía como el bienintencionado hermano mayor que se conforma con repasar lo que ya sabe para que pueda alcanzarle el hermano perezoso; en cuanto al Maestro, se comportaba como el pequeño inteligente que intenta demostrarle a su hermano mayor que tampoco sabe tanto. Según él, la diferencia entre nuestros conocimientos se limitaba al número de volúmenes que yo era capaz de recordar, libros que había hecho traer de mi celda y había colocado en una estantería. Gracias a su extraordinaria capacidad de trabajo y a su inteligencia, fue capaz de descifrar el italiano, que mejoraría con el tiempo; se leyó todos los libros en seis meses y después de hacerme repetirle todo lo que recordaba ya no me quedaba nada en lo que fuera superior a él. Y sin embargo se comportaba como si poseyera unos conocimientos más naturales y más profundos que todo lo que había aprendido y que superaran lo que había en los libros, la mayoría de los cuales él mismo aceptaba que no valían demasiado. Seis meses después de comenzar el trabajo ya no éramos una pareja que aprendiera junta, que avanzara junta. Él razonaba y yo me limitaba a recordarle algunos detalles para facilitarle la tarea o le ayudaba a repasar lo que sabía.

Era sobre todo de noche cuando encontraba aquellas «ideas», la mayoría de las cuales he olvidado, mucho después de que comiéramos una mala cena, de que se apagaran todas las luces del barrio y todo se sumiera en la oscuridad. Por las mañanas iba a impartir clases en la escuela de muchachos de una mezquita dos barrios más allá y dos veces por semana se pasaba por la sala de los relojes de otra mezquita de un barrio remoto en el que yo jamás puse el pie. El resto del tiempo lo pasábamos, bien preparándonos para aquellas «ideas» nocturnas, bien arrastrándonos tras ellas. En aquellos tiempos creía que podría regresar en breve a mi país. Nunca me oponía al Maestro cuando discutía aquellas «ideas», cuyos detalles yo seguía sin demasiada atención, porque temía que solo me serviría, como mucho, para retrasar mi regreso.

Así nos pasamos el primer año ocupados con la astronomía, en la que nos sumergimos para encontrar alguna prueba de la existencia o inexistencia de aquel fantástico astro. Trabajando con los telescopios que había mandado construir con las lentes que había encargado en Flandes gastándose el dinero a manos llenas, con sus instrumentos de observación y sus reglas, el Maestro olvidó el problema del astro fantástico. Me dijo que se estaba encargando de una cuestión más profunda que provocaría una discusión general sobre el sistema de Batlamyus, pero nosotros no discutíamos sino que él hablaba y yo le escuchaba. Me explicaba aquella tontería de las esferas transparentes de las que colgaban las estrellas; puede que allí hubiera algo que las mantuviera en el vacío, digamos una fuerza, una fuerza de atracción quizá; luego se aventuró a decir que podía ser que, como el Sol, también la Tierra girara en torno a algo, y que todas las estrellas giraran en torno a algo cuya existencia ignorábamos. Más tarde, afirmando que su proyecto sería mucho más exhaustivo que el de Batlamyus, estudió una nueva constelación y estableció una serie de normas para un nuevo sistema con la intención de hacer una cosmografía más amplia. Quizá la Luna girara en torno a la Tierra y la Tierra en torno al Sol y quizá el centro de todo fuera Venus; pero pronto se hartó también de aquello. Enseguida su mayor problema fue no exponer aquellas nuevas ideas, sino darles a conocer a los de aquí las estrellas y sus movimientos, y decía que empezaría por el bajá cuando supimos que Sadık Bajá había sido desterrado a Erzurum. Se decía que había formado parte de una conspiración fracasada.

En los años que pasamos esperando que el bajá retornara de su destierro, anduvimos meses por las laderas del Bósforo, con un viento que nos helaba hasta la médula, contemplando las corrientes marinas e intentando medir, recipiente en mano, la temperatura y el flujo de los arroyos que desembocaban desde los valles en el Bósforo, para un opúsculo que pensaba escribir sobre las causas de la corriente en el estrecho.

La falta de coherencia de las horas de oración entre las mezquitas de Gebze, donde estuvimos tres meses a petición del bajá para investigar el caso, le dio otra idea al maestro: construiría un reloj perfecto que mostrara las horas de la oración. Fue entonces cuando le enseñé eso que llamamos «mesa». Cuando traje el mueble a casa –le había dado las medidas a un carpintero para que lo hiciera– al principio no le gustó y decía que parecía un ara funeraria y que nos traería mala suerte, pero luego se acostumbró a ella y a las sillas: incluso llegó a decir que así pensaba y escribía mejor. Cuando regresamos a Estambul para vaciar en sus moldes unos engranajes que se correspondieran a la elíptica del Sol en su recorrido por el cielo con la intención de utilizarlas en los relojes para la oración, la mesa nos siguió a lomos de un asno.

En aquellos primeros meses en que nos sentábamos frente a frente a la mesa, el Maestro intentaba comprender cómo podrían determinarse las horas de la oración y el ayuno en los países fríos, con grandes diferencias horarias entre el día y la noche a causa de la redondez de la Tierra. Otra pregunta que se hacía era si existiría un lugar aparte de La Meca donde uno pudiera mirar hacia la alquibla se volviera hacia donde se volviese. Al Maestro le ultrajaba ver que no me interesaban aquellas cuestiones que yo, en el fondo, despreciaba, pero por entonces yo pensaba que él intuía mi «superioridad y diferencia» y quizá se enfadaba porque creía que yo me daba cuenta: hablaba tanto de la inteligencia como de la ciencia. Cuando el bajá volviera a Estambul le presentaría sus proyectos, una nueva teoría cosmográfica que aún tenía que desarrollar y hacer más comprensible gracias a una maqueta y, como añadido, el nuevo reloj. Con eso plantaría las semillas de un renacer y esperaba que se le contagiara a todos su curiosidad: ambos aguardábamos el momento.

3

Por aquellos días el Maestro pensaba en cómo se podría desarrollar un mecanismo dentado más grande que permitiera que no hiciera falta poner en hora cada semana el reloj, sino como mucho cada mes. Tras construir dicho mecanismo, tenía en mente fabricar un reloj para la oración que solo hubiera que poner en hora una vez al año; consideraba que todo el problema residía en encontrar la fuerza que moviera los engranajes, que deberían ser más grandes y pesados según se alargaran los intervalos entre los momentos en que habría que poner en hora tan enorme máquina, cuando supo por sus amigos de la sala de los relojes que el bajá había regresado de Erzurum.

A la mañana siguiente fue a felicitarle. El bajá se interesó por el Maestro incluso entre la multitud de visitantes, le preguntó por sus hallazgos y hasta por mí. Esa noche desmontamos y volvimos a montar el reloj, añadimos algunas cosas aquí y allá a su maqueta del universo y pintamos con pinceles las estrellas. El Maestro me leyó fragmentos de un texto muy ostentoso y poético que había redactado y memorizado para impresionar a la audiencia. Poco antes de amanecer, y para calmar los nervios, me recitó también del revés aquel texto que trataba de la lógica de los giros de los astros. Luego cargamos nuestros utensilios en un carro que habíamos mandado llamar y se fue a la mansión del bajá. Miré sorprendido lo pequeños que parecían en aquel carro de un solo caballo el reloj y el modelo que durante meses habían llenado la casa. Aquella noche volvió muy tarde.

Inmediatamente después de descargarlo todo en el jardín y de que el bajá lo inspeccionara con la frialdad de un anciano huraño al que no le gustaran aquellas cosas extrañas ni en broma, el Maestro le recitó el texto que había memorizado. El bajá se acordó de mí y pronunció aquella frase que años después también emplearía el sultán: «¿Te ha enseñado él todo esto?». Esa fue su primera reacción. Pero el Maestro replicó a su vez de una manera que sorprendió aún más al bajá: «¿Quién?», preguntó. Luego entendió de repente que era de mí de quien se hablaba y le dijo al bajá que yo solo era un estúpido que había leído algo. No me hacía el menor caso mientras me contaba todo aquello, todavía tenía en la cabeza lo que había ocurrido en la mansión del bajá. Después insistió en que aquellos eran descubrimientos suyos, pero el bajá no le creyó; tenía el aspecto de estar buscando un culpable y era como si su corazón no le consintiera aceptar que dicho culpable no era otro que su muy querido Maestro.

Así pues, en lugar de hablar de las estrellas, hablaron de mí. Yo podía ver que al Maestro no le había gustado nada tratar del tema. Así que se produjo un silencio y la atención del bajá se desvió hacia los otros invitados que le rodeaban. Cuando el Maestro quiso mencionar de nuevo las estrellas y sus inventos durante la cena, el bajá le dijo que intentaba recordar mi cara pero que solo se le venía a la cabeza la del propio Maestro. Había más gente en la cena y se inició una conversación sobre que todos somos creados con un doble, se recordaron una serie de ejemplos exagerados al respecto y se mencionaron los casos de gemelos que sus propias madres no eran capaces de distinguir, de sosias que se habían aterrorizado al verse pero que ya no se habían separado más, como si fueran víctimas de un hechizo, y de bandidos que así pasaban por inocentes. Cuando la cena acabó y los invitados empezaron a irse el bajá le pidió al Maestro que se quedara un rato más.

Como el Maestro comenzó a darle explicaciones de nuevo, al principio el bajá no parecía muy divertido y, de hecho, no estaba nada contento porque todos aquellos confusos datos imposibles de comprender le habían hecho perder el buen humor, pero después de escuchar por tercera vez el texto memorizado por el Maestro y de ver cómo giraban ante sus ojos a toda velocidad la Tierra y las estrellas en la maqueta que habíamos construido, dio la impresión de que comenzaba a entender algo o, por lo menos, empezó a sentir una ligera curiosidad y a escuchar con atención lo que le explicaba el Maestro. Entonces el Maestro repitió excitado que los astros no giraban como todo el mundo creía, sino de aquella otra manera. «Muy bien —dijo por fin el bajá—, lo he entendido, también pueden hacerlo así, ¿por qué no?» Entonces el Maestro se calló.

Debió de ser un largo silencio, pensé. El Maestro miraba por la ventana hacia fuera, hacia la oscuridad del Cuerno de Oro. «¿Por qué se detuvo? ¿Por qué no continuó?» Si se trataba de una pregunta, yo tampoco sabía la respuesta; la verdad era que yo sospechaba que el Maestro tenía alguna idea sobre hacia dónde debería haber continuado, pero se quedó callado. Era como si le incomodara que nadie compartiera sus sueños. Luego el bajá se interesó por el reloj, hizo que lo abriera y le preguntó para qué servían los engranajes, el mecanismo y las pesas. Después introdujo temeroso el dedo en aquel instrumento tintineante, como si removiera la oscura y escalofriante madriguera de una serpiente, y lo sacó a toda velocidad. El Maestro le hablaba de las torres del reloj y de la fuerza de la oración simultánea de todo el mundo en el mismo momento perfecto cuando de repente el bajá se encolerizó: «¡Líbrate de él! —le dijo—. Envenénalo si quieres o, si lo prefieres, dale la libertad. Te quedarás más tranquilo». Debí de mirar por un instante al Maestro asustado y esperanzado a un tiempo. Pero me dijo que no me liberaría mientras no se dieran cuenta de la realidad.

No le pregunté de qué era de lo que tenían que darse cuenta. Quizá, instintivamente, temiera saber que el mismo Maestro lo ignoraba. Luego hablaron de otras cosas y el bajá observó los instrumentos que había desplegado ante él refunfuñando y despreciándolos. El Maestro, que había esperado volver a interesar al bajá, se quedó en la mansión hasta altas horas a pesar de saber que estaba molestando. Después hizo cargar en el carro los instrumentos. Durante el oscuro y silencioso trayecto de vuelta del carro, yo soñé con una casa en la que había un hombre que no podía dormir: oía el tictac del enorme reloj por entre el estrépito de las ruedas y sentía curiosidad.

El Maestro estuvo levantado hasta que clareó. Fui a encender una vela en lugar de la que ya se había apagado pero no me lo permitió. Como yo sabía que quería que dijera algo, comenté: «El bajá lo comprenderá». Lo dije a oscuras y quizá él mismo supiera que no me lo creía, pero poco después me respondió: todo consistía en descifrar el secreto de ese momento en el que el bajá había dudado.

Y a la primera oportunidad que tuvo fue a casa del bajá para conseguirlo. Esta vez el bajá le recibió alegre. Le dijo que comprendía lo que pasaba, o al menos sus intenciones, y, después de ganarse al Maestro, le aconsejó que trabajara en un arma: «¡Un arma que convierta el mundo en un lugar insoportable para nuestros enemigos!». Eso dijo, pero no explicó cómo debía ser. Si desviaba en ese sentido su interés por la ciencia, entonces le apoyaría. Por supuesto, no dijo ni palabra del estipendio que podíamos esperar. Simplemente le dio una bolsa llena de aspros de plata. Cuando los contamos en casa había diecisiete, ¡extraño número! Tras darle la bolsa le dijo que convencería al sultán de que escuchara al Maestro. Le explicó que al niño le interesaban «esas cosas». Ni el Maestro, a pesar de que se animaba con facilidad, ni yo, nos entusiasmamos demasiado, pero una semana más tarde nos trajeron la noticia de que el bajá nos llevaría, sí, a mí también, a ver al sultán después de la comida para romper el ayuno.

Para prepararse, el Maestro alteró el texto que le había recitado al bajá de forma que pudiera entenderlo un niño de nueve años y volvió a memorizarlo. Pero a quien tenía presente no era al sultán, sino, por alguna extraña razón, al bajá, a la causa por la que había dudado. Algún día descubriría el secreto. ¿Cómo sería el arma que el bajá quería que construyera? Yo no tenía mucho que decir al respecto, así que él trabajaba por su cuenta. Mientras él se encerraba en su habitación hasta medianoche, yo, sin ser capaz de pensar siquiera en cuándo volvería a mi país, me sentaba ante mi ventana con la mente en blanco como un niño estúpido y fantaseaba: el que estaba trabajando en la mesa no era el Maestro sino yo, ¡podía ir cuando quisiera a donde quisiera!

Esa tarde cargamos nuestros bártulos en un carro y fuimos a palacio. Ahora ya me gustaban las calles de Estambul y soñaba que era un hombre invisible, y que pasaba por ellas y por entre los enormes plátanos, castaños y ciclamores de los jardines como una sombra. Colocamos los instrumentos en el lugar que nos indicaron en el segundo patio.

El sultán era un niño agradable, bajo de estatura para su edad y con las mejillas rosadas. Toqueteaba los instrumentos como si fueran sus juguetes. Ahora mismo soy incapaz de recordar si fue entonces cuando pensé que me gustaría tener su edad y ser su amigo o si fue mucho después, cuando quince años más tarde volvimos a encontrarnos; pero sí sé que sentí que no debíamos ser injustos con él. En ese momento el Maestro parecía sufrir una especie de parálisis y la multitud que rodeaba al sultán le esperaba con curiosidad. Por fin fue capaz de comenzar; le había añadido elementos completamente nuevos a su historia: habló de las estrellas como si fueran seres vivos dotados de inteligencia, las asemejó a misteriosas pero atractivas criaturas que supieran geometría y aritmética y que giraran según sus leyes. Se animó al ver que impresionaba al niño, que de vez en cuando alzaba la cabeza y miraba al cielo con admiración. En ese momento le mostró las esferas transparentes en las que giraban las estrellas que pendían ahí arriba, allá estaba Venus, que giraba así, y esa cosa enorme de allí era la Luna, que, como se podía ver, se desplazaba de otra forma. Mientras el Maestro hacía girar las estrellas, las campanillas que le habíamos puesto a la maqueta sonaban agradablemente y el pequeño sultán se asustaba, daba un paso atrás y luego, reuniendo valor, se acercaba al tintineante instrumento como si se arrimara a una caja mágica e intentaba comprender.

Ahora, cuando pretendo reunir mis recuerdos e inventarme un pasado, pienso que aquella imagen es un cuadro de felicidad que se adapta como un guante a los cuentos que oía en mi infancia y a las ilustraciones de los pintores que los decoraban. A aquellas casas de tejados rojos que parecían pasteles solo les faltaba una de esas esferas de cristal en las que cae la nieve al darles la vuelta. Luego el niño empezó a preguntar y el Maestro a procurar responderle como mejor podía.

¿Cómo era posible que las estrellas estuvieran colgadas así en el aire? ¡Pendían de las esferas transparentes! ¿Y de qué estaban hechas aquellas esferas? ¡De una sustancia transparente que las hacía ser así! ¿No chocaban unas con otras? ¡No, estaban en distintos niveles como en la maqueta! Si había tantas estrellas, ¿por qué no había otras tantas esferas? ¡Porque estaban muy, muy lejos! ¿Cuánto de lejos? ¡Mucho, mucho! ¿Y las otras estrellas también tenían campanillas que sonaban cuando giraban? ¡No, las campanillas se las habíamos puesto nosotros para saber cuándo daban un giro completo! ¿Tenían los truenos algo que ver con eso? ¡No! ¿Y con qué tenían que ver? ¡Con la lluvia! ¿Llovería mañana? ¡Por el aspecto del cielo, no! ¿Qué decía el cielo sobre el león enfermo del sultán? Que se pondría bien pero que habría que tener paciencia, etcétera, etcétera.

Mientras daba su opinión sobre el león enfermo, el Maestro volvió a mirar al cielo, como había hecho mientras hablaba de las estrellas. Al volver a casa habló de aquel detalle con desdén. Lo importante no era que el niño diferenciara la ciencia de la charlatanería, sino que se diera cuenta de algo. De nuevo usaba la misma expresión y además lo hacía como si yo percibiera de qué había que darse cuenta. Pensé que a esas alturas daba igual que fuera musulmán o no. De la bolsa que le entregaron al salir de palacio salieron cinco monedas de oro justas. El Maestro dijo que el sultán había intuido que tras todo lo que ocurría con las estrellas existía una lógica. ¡Ah, el sultán! ¡Solo lo conocí mucho, mucho más tarde! Me sorprendió que fuera la misma Luna la que se veía por la ventana de nuestra casa, ¡quería ser niño! El Maestro no pudo contenerse más y volvió sobre el mismo tema: lo del león no tenía importancia, al niño le gustaban los animales, eso era todo.

Al día siguiente se encerró en su habitación y empezó a trabajar. Unos días más tarde volvió a cargar en el carro el reloj y las estrellas, aunque ahora fue a la escuela de muchachos bajo las miradas curiosas que le observaban tras las rejas de las ventanas. Al regresar aquella tarde estaba deprimido, pero no tanto como para callar: «Pensaba que los niños lo entenderían, como el sultán, pero me equivoqué», dijo. Solo se habían asustado; y cuando el Maestro les preguntó después de explicárselo todo, uno de los niños le contestó que el Infierno estaba al otro lado de las estrellas y se echó a llorar.

La semana siguiente la pasó afianzando su confianza en la capacidad de comprensión del sultán; me recordaba uno a uno los minutos que habíamos pasado en el segundo patio y la confirmaba con pruebas: el niño era listo, sí; a su edad, sabía perfectamente lo que debía pensar, sí; tenía tanta personalidad como para independizarse del influjo de su entorno, ¡sí! Fue así como empezamos a soñar con el sultán antes de que él, mucho más tarde, comenzara a soñar con nosotros. Mientras tanto, el Maestro seguía trabajando en el reloj; yo creía que también estaría meditando sobre el arma porque eso era lo que le había dicho al bajá cuando este le llamó. Pero por otra parte intuía que había perdido todas sus esperanzas en el bajá. «Se ha convertido en un hombre como los demás —me dijo refiriéndose a él—. ¡Ya no quiere saber lo que no sepa de antemano!» Una semana más tarde el sultán volvió a llamarle y él acudió a verle.

El sultán recibió alegre al Maestro. «El león se ha curado —dijo—. Ha resultado como tú decías.» Luego salieron juntos al patio con el séquito que le acompañaba. El sultán le mostró los peces del estanque y le preguntó qué le parecían. «Eran rojos —me dijo el Maestro mientras me lo contaba—, no se me venía a la cabeza otra cosa que responder.» En ese instante entrevió un orden en el movimiento de los peces; era como si hablaran entre ellos e intentaran perfeccionar una cierta armonía. El Maestro dijo que los encontraba inteligentes. Cuando uno de los enanos, que se encontraba junto a uno de esos agás del harén cuya misión consistía en recordarle continuamente al sultán los consejos de su madre, se rió de lo que el Maestro había dicho, el sultán le reprendió. Y al subirse a su carroza, no se llevó consigo al pelirrojo enano como castigo.

Fueron en ella hasta el antiguo Hipódromo, a la casa de las fieras. Había leones, leopardos y tigres encadenados a las columnas de la antigua iglesia y el sultán se los mostró uno a uno. Se detuvieron ante el león cuya mejoría había previsto el Maestro, el niño habló con él y le presentó al Maestro. Luego se acercaron a una leona que yacía en un rincón. La fiera, que no apestaba como las otras, estaba preñada. El sultán preguntó con ojos brillantes: «¿Cuántas crías parirá esta leona? ¿Cuántos machos y cuántas hembras?».

El Maestro, nervioso, hizo entonces algo que más tarde me reconocería que había sido «un error» y le dijo al sultán que él entendía de astronomía pero que no era astrólogo. «¡Pero sabes más que Hüseyin Efendi, el gran astrólogo!», dijo el niño. El Maestro no le respondió porque tuvo miedo de que alguno de los integrantes del séquito le oyera y fuera a contárselo a Hüseyin Efendi. El sultán, impaciente, insistió: ¿o acaso el Maestro no sabía nada y observaba las estrellas en vano?

Después de eso al Maestro no le quedó más remedio que explicarle de inmediato al sultán algo que había previsto contarle mucho más tarde. Dijo que había aprendido muchas cosas de las estrellas y que de todo aquello que había aprendido había extraído conclusiones muy útiles. Considerando una señal positiva el silencio del sultán, que le escuchaba con los ojos muy abiertos, continuó diciendo que había que construir un observatorio para estudiar las estrellas; algo como aquel otro observatorio que Murat III, el abuelo de su difunto abuelo Ahmet I, le había ordenado construir al difunto Takiyüddin Efendi hacía noventa años y que luego se había desplomado por pura desidia; no, algo aún más avanzado: una casa de las ciencias en la que pudieran trabajar juntos sabios que estudiaran no solo las estrellas, sino el universo entero, los ríos y los mares, las nubes y las montañas, las flores y los árboles y, por supuesto, también los animales, un lugar donde pudieran comunicarse hablando unos con otros lo que habían observado para que así se desarrollaran nuestras mentes.

El sultán escuchó aquel proyecto del Maestro, del que yo oía hablar también por primera vez, como si oyera un bonito cuento. Mientras regresaban en carroza a palacio, volvió a preguntarle: «¿Y cómo crees que parirá la leona?». El Maestro contestó tal y como había pensado hacer: «¡El número de crías macho y hembra será parejo!». Luego, en casa, me comentó que aquella afirmación no representaba ningún peligro. «Tendré a ese niño estúpido en la palma de la mano —decía—. ¡Soy mucho más hábil que Hüseyin Efendi, el gran astrólogo!» Me sorprendió que usara aquel adjetivo hablando del sultán; de hecho, incluso me ofendió por alguna extraña razón. Por aquel entonces yo me dedicaba a las labores domésticas de puro aburrimiento.

Luego empezó a usar aquella palabra como si fuera una llave mágica que abriera todos los cerrojos: no miraban las estrellas que vagaban por encima de sus cabezas y no pensaban en ellas porque eran estúpidos; preguntaban de antemano para qué servía lo que iban a aprender porque eran estúpidos; no les interesaban los detalles sino los resúmenes porque eran estúpidos; se parecían unos a otros porque eran estúpidos, etcétera. A pesar de que hacía unos años, en mi país, a mí también me gustaba hacer aquel tipo de comentarios, era incapaz de responderle al Maestro. De hecho, por aquella época le interesaban más los estúpidos que yo. Mi estupidez era de otro tipo. Le conté indiscretamente un sueño que había tenido por aquellos días: él ocupaba mi lugar e iba a mi país, se casaba con mi prometida y en la boda nadie se daba cuenta de que no era yo; en cuanto a mí, en medio de la celebración, que observaba desde un rincón vestido de turco, me cruzaba con mi madre y con mi satisfecha prometida que, a pesar de las lágrimas que acabaron por despertarme del sueño, me dieron la espalda y se alejaron sin percatarse de quién era yo.

Por aquella época fue dos veces a la mansión del bajá. Probablemente al bajá no le gustaba que el Maestro intimara con el sultán sin que lo hiciera bajo su supervisión, así que le interrogó a fondo. Mucho más tarde, después de que volvieran a desterrar de Estambul al bajá, me dijo que había preguntado por mí y que había estado investigando sobre mi persona; de habérmelo contado antes me habría pasado el día con miedo a ser envenenado. Con todo, yo intuía que el bajá sentía más interés por mí que por el Maestro; me enorgullecía que al bajá le pusiera más nervioso que a mí el parecido entre el Maestro y yo. Por aquellos tiempos, dicho parecido era como un secreto que el Maestro no quisiera reconocer pero que a mí me proporcionaba un extraño arrojo: a veces pensaba que solo gracias a nuestra semejanza estaría libre de todo peligro mientras el Maestro viviese. Quizá por eso me oponía al Maestro cuando decía que el bajá era uno de aquellos estúpidos, aunque entonces él se enfadaba. El mero hecho de intuir que era incapaz de renunciar a mí a pesar de que le avergonzara me impulsaba a demostrar un descaro insólito. Le preguntaba de repente por el bajá o por lo que había dicho sobre nosotros dos y sumía al Maestro en una furia cuya causa probablemente no estuviera clara ni siquiera para él. Entonces me repetía testarudo que también el bajá tropezaría algún día, los jeníza-ros harían algo pronto, percibía que en palacio se estaba tra-mando algo. Por eso, si trabajaba en el arma, como el bajá quería, no debía hacerlo para cualquier visir transitorio, sino para presentársela al sultán.

Durante cierto tiempo creí que solo se dedicaba al proyec-to de aquella arma indeterminada y me decía a mí mismo que se esforzaba pero que no avanzaba. Porque estaba seguro de que si hubiera hecho progresos me lo habría confiado y me habría contado sus planes para saber mi opinión por mucho que pretendiera despreciarme. Una noche regresábamos a casa después de haber ido a aquel lugar de Aksaray al que acudíamos cada dos o tres semanas para acostarnos con mujeres después de escuchar música. El Maestro me comunicó que iba a trabajar hasta el amanecer y luego me preguntó por las mujeres aunque nunca hablábamos de ellas. «Estaba pensando...», dijo luego de repente, pero sin que le diera tiempo a aclarar qué era lo que pensaba, llegamos a casa y se encerró en su habitación. Yo me quedé rodeado de libros que ni siquiera me apetecía hojear y pensé en él: en que estaba encerrado en su habitación sentado ante la mesa a la que no había acabado de acostumbrarse mirando los papeles en blanco que tenía delante de él, pensando en cualquier proyecto o idea que yo no creía que fuera capaz de desarrollar; en que se pasaba horas sentado ante la mesa mirando al vacío sin hacer nada, avergonzado y furioso...

Mucho después de medianoche salió de su habitación y me invitó a pasar y sentarme a la mesa con el modesto embarazo del estudiante que pide ayuda porque se ha atascado en un pequeño problema. «Ayúdame —me dijo sin el menor reparo—. Pensemos juntos, yo no puedo avanzar solo.» Guardé silencio por un instante pensando que se trataba de algo que tenía que ver con las mujeres. Y al ver que le lanzaba una mirada vacía, me dijo con toda seriedad: «Estaba pensando en los tontos. ¿Por qué son tan tontos?». Y luego añadió como si ya supiera mi respuesta: «Muy bien, no son tontos, pero les falta algo en la cabeza». No le pregunté a quiénes se refería. «¿Es que no les queda espacio en la cabeza donde retener los conocimientos? —dijo mirando a su alrededor como si buscara una palabra—. Deberían tener en la mente una caja, o varias, un rincón en el que pudieran colocar todo tipo de cosas, como los estantes de ese armario, pero es como si les faltara, ¿me entiendes?» Yo quería convencerme de que entendía algo, pero la verdad era que no lo lograba. Estuvimos callados un rato, sentados frente a frente. «De todas formas, ¿quién puede saber por qué son de esa manera y no de otra? —dijo por fin—. ¡Ah, ojalá fueras médico de verdad y pudieras enseñarme —comentó luego— cómo son nuestros cuerpos, el interior de nuestros cuerpos y nuestras cabezas!» Parecía estar un tanto avergonzado, pero me lo expuso con una firme actitud que supongo que adoptó porque no quería asustarme: no pensaba rendirse, iría hasta el fin, tanto porque siempre había sentido curiosidad por saber lo que pasaría como porque no había otra cosa que pudiera hacer. Yo no le entendía, pero me agradaba pensar que todo aquello lo había aprendido de mí.

Más adelante repitió a menudo aquellas palabras, como si ambos supiéramos lo que significaban. Pero en aquella decisión suya había mucho del porte del estudiante soñador que hace demasiadas preguntas; cada vez que decía que iría hasta el fin yo creía estar siendo testigo de las maldiciones tristes y airadas de un amante desesperado que se pregunta por qué le tiene que ocurrir todo eso. Por aquellos tiempos repetía esa frase frecuentemente; la decía cuando se enteraba de que los jenízaros estaban preparando un levantamiento, cuando me explicaba que los estudiantes de la escuela de muchachos se interesaban más por los ángeles que por las estrellas, después de arrojar a un lado enfurecido y sin llegar a leer siquiera la mitad del manuscrito por el que tanto dinero había pagado, y después de haber dejado a los amigos con los que se encontraba y charlaba en la sala de los relojes, ahora solo por no alterar sus hábitos, y después de coger frío en los mal calentados baños y después de acostarse tapado con el edredón de flores sobre el que extendía sus amados libros y después de escuchar en el patio de la mezquita las absurdas conversaciones de los que hacían las abluciones y después de enterarse de que los venecianos habían derrotado a la flota y de escuchar pacientemente a los vecinos que venían a visitarle con la intención de casarle diciéndole que se le estaba pasando la edad, repetía que iría hasta el fin.

Y ahora yo pienso lo siguiente: ¿quién que lea hasta el final lo que estoy escribiendo, qué lector que siga pacientemente todo lo que cuento, ocurrido o imaginado, podrá decir que el Maestro no cumplió su promesa?

4

Un día hacia finales de verano nos enteramos de que habían encontrado en las orillas de İstinye el cadáver del gran astrólogo Hüseyin Efendi. El bajá por fin había conseguido un edicto ordenando su muerte y el mismo Hüseyin Efendi, incapaz de mantenerse en silencio en su escondrijo, reveló su paradero enviando cartas a diestro y siniestro en las que decía que había claros indicios en las estrellas de que Sadık Bajá moriría pronto. Los verdugos le prendieron cuando pretendía cruzar a Anatolia en barca y lo estrangularon allí mismo. Al saber que todas sus posesiones habían sido confiscadas, el Maestro se puso rápidamente en movimiento para conseguir los papeles, libros y cuadernos del gran astrólogo; para conseguirlo se gastó en sobornos todo el dinero que tenía ahorrado. Después de devorar en menos de una semana los miles de páginas que una tarde había traído a casa en un enorme baúl, dijo muy irritado que él podría hacerlo mucho mejor.

Y yo le ayudé a cumplir su palabra. Para los dos opúsculos que había decidido presentarle al sultán, titulados *Vida de los animales* y *Criaturas extrañas*, le describí los hermosos caballos, los vulgares asnos, los conejos y lagartos que había visto en los amplios jardines y en los prados de nuestra casa en Empoli. Y cuando el Maestro se quejó de mi falta de imaginación, pasé a recordar las bigotudas ranas francas de nuestro estanque de nenúfares, los loros azules que hablaban en dialecto siciliano y las ardillas que se sentaban frente a frente para atusarse el pelo antes de copular. Uno de los temas que más le interesaban al sultán, pero del que carecía de la suficiente información debido a la extrema limpieza del primer patio de palacio, era la vida de las hormigas, que se convirtió en un capítulo en el que trabajamos concienzudamente durante bastante tiempo.

Mientras el Maestro pasaba al papel la vida ordenada y lógica de las hormigas, soñaba con que también podríamos educar al niño sultán. Con ese objetivo, y encontrando insuficientes los datos sobre las conocidas hormigas negras, relató además cómo se organizaban las hormigas rojas de América. Y aquello le sugirió la idea de escribir un libro, amargo pero con su moraleja, sobre lo que les había ocurrido a los necios indígenas de aquel país de serpientes llamado América, incapaces de alterar sus modos de vida; supongo que nunca tuvo el valor necesario para acabar ese libro en el que, me dijo según me iba contando los detalles, también narraría la historia de un rey niño aficionado a los animales y a la caza a quien los infieles españoles acababan empalando por no haberse interesado por la ciencia. A ninguno de los dos nos satisficieron los dibujos del maestro ilustrador que contratamos para que fueran más comprensibles las descripciones de los búfalos alados, los bueyes de seis patas y las serpientes bicéfalas. «Antes la realidad era así —dijo el Maestro—. Ahora todo tiene tres dimensiones y sombras reales, mira; hasta la hormiga más vulgar acarrea su sombra aguantándola pacientemente como si llevara tras de sí a su gemela.»

Como el sultán no mandaba llamarlo, decidió entregarle los opúsculos por mediación del bajá, pero luego se arrepintió de haberlo hecho. El bajá le dijo que el saber de las estrellas era pura charlatanería, que el gran astrólogo Hüseyin Efendi se había enredado en asuntos que le superaban tramando conspiraciones políticas, que sospechaba que el Maestro tenía la intención de ocupar su puesto, ahora vacante, que él personalmente creía en aquello llamado ciencia pero que pensaba que tenía más que ver con las armas que con las estrellas, que el puesto de gran astrólogo estaba maldito, de manera que todos los que lo ejercían acababan muertos o, peor, cualquier día se descubría que habían desaparecido sin dejar rastro y que por eso no quería que el Maestro, a quien tanto estimaba y en cuya ciencia tanto confiaba, lo ocupara nunca, que de hecho lo sería Sıtkı Efendi, que era lo bastante estúpido e inocente como para ejercer de nuevo gran astrólogo, que había oído que el Maestro se había hecho con los libros del anterior y que quería que no removiera más aquel asunto. El Maestro le contestó que a él solo le interesaba la ciencia y le entregó al bajá los opúsculos que quería hacer llegar al sultán. Esa noche, en casa, dijo que a partir de ese momento solo se ocuparía de la ciencia pero que haría todo lo que fuera necesario para conseguirlo; y para empezar lanzó una lluvia de maldiciones sobre el bajá.

El mes siguiente, el Maestro, muerto de curiosidad por conocer la reacción del niño ante los coloridos animales fruto de nuestra imaginación, se lo pasó pensando en por qué no le llamarían de palacio. Por fin le invitaron a una jornada de caza; acudimos al quiosco de Mirahor, en la orilla del arroyo de Kâğıthane, él para estar junto al sultán y yo para observar de lejos; aquello estaba lleno de gente. El jardinero imperial lo había preparado todo: liberaron liebres y zorros y les soltaron los galgos y nosotros contemplamos el espectáculo. Todos seguimos con la mirada a una liebre que se separó de sus compañeras y se lanzó al agua; cuando cruzó nadando hasta la otra orilla los jardineros quisieron soltarle también allí unos perros, pero hasta nosotros, los que estábamos lejos, pudimos oír cómo el sultán lo impedía diciendo: «Que se le perdone la vida a la liebre». No obstante, en la otra orilla había un perro asilvestrado, así que la liebre volvió a echarse al agua y, aunque el perro consiguió atraparla allí, los jardineros acudieron en tropel y lograron arrebatársela de la boca y llevársela al sultán. El niño examinó de inmediato al animal, se alegró de que no tuviera ninguna herida seria y ordenó que se la llevaran al monte y la soltaran allí. Luego el séquito, entre el que pude ver al Maestro y al enano pelirrojo, se reunió en torno al sultán.

Esa noche el Maestro me contó que el sultán había preguntado cómo se debía interpretar aquel suceso. Cuando por fin le llegó su turno, en último lugar, el Maestro dijo que aparecerían enemigos del sultán donde menos se los esperaba, pero que superaría el peligro sin problemas. Por mucho que sus propios enemigos, entre los que se encontraba el nuevo gran astrólogo Sıtkı Efendi, intentaran criticar su interpretación por haber mencionado el peligro de muerte e incluso por haber comparado al sultán con una liebre, el soberano hizo callar a la multitud y dijo que tendría muy presentes las palabras del Maestro. Más tarde, mientras contemplaban la desesperada defensa de un águila luchando por su vida con los halcones que se agolpaban sobre ella y el triste final de un zorro al que hicieron trizas unos famélicos galgos, el sultán le comentó que su leona había parido dos crías, un macho y una hembra, y que le habían gustado mucho los libros de animales y le preguntó por los toros de alas azules y los gatos rosados que se encontraban en los pastizales de los alrededores del Nilo. El Maestro se sintió invadido por la extraña embriaguez de la victoria pero también por el miedo.

Solo mucho después de aquello recibimos noticias de que algo ocurría en palacio. La sultana Kösem se había conjurado con los agás de los jenízaros y había organizado una conspiración para matar al sultán y a su madre para poner en su lugar al príncipe Süleyman, pero fracasó. Mataron a la sultana Kösem estrangulándola hasta que le salió sangre por la boca y la nariz. El Maestro se iba enterando de los acontecimientos por los cotilleos de aquellos estúpidos amigos suyos que acudían a la sala de los relojes e iba solo allí y a la escuela, no salía a ningún otro sitio.

En otoño pensó durante algún tiempo en retomar su teoría cosmográfica, pero se dejó arrebatar por la desesperación: le hacía falta un observatorio y, además, de la misma forma que a los imbéciles les importaban un rábano las estrellas, a las estrellas les importaban un rábano ellos. Llegó el invierno y con él los días nublados y de repente supimos que el bajá había sido destituido. Iban a estrangularle también pero la sultana madre lo impidió, así que solo le embargaron todos sus bienes y lo desterraron a Erzincan. No volvimos a recibir más noticias suyas hasta que nos llegó la de su muerte. El Maestro me dijo que ya no temía a nadie y que ya no le debía nada a nadie, aunque ignoro hasta qué punto al decirlo consideraba si había aprendido algo de mí o no. Tampoco temía ya al niño ni a la madre. Se sentía preparado para jugar a los dados con la muerte y la gloria, pero se quedaba sentado en casa entre sus libros como un corderito; y mientras hablábamos de las hormigas rojas americanas ambos nos forjábamos la ilusión de escribir un nuevo tratado sobre ellas.

Ese invierno lo pasamos en casa, como muchos previos y muchos posteriores; no ocurrió nada. Nos pasábamos las frías noches sentados charlando hasta el amanecer en el piso inferior de aquella casa por cuyas puertas y chimeneas entraba el viento del nordeste. Ya no me despreciaba, o le resultaba demasiado trabajoso aparentar que me despreciaba. Relaciono aquella proximidad con que nadie de palacio ni de los círculos próximos a palacio le mandara llamar. A veces yo pensaba que él notaba tanto como yo nuestro parecido y sentía curiosidad por saber si al fin se veía a sí mismo cuando me miraba. ¿En qué estaría pensando? Acabamos otro largo opúsculo sobre animales, pero como el bajá había sido desterrado y el Maestro decía que no se sentía dispuesto a tener que soportar el mal aliento de ninguno de los conocidos que tenían acceso a palacio, la obra seguía sobre la mesa. De vez en cuando, con el aburrimiento de los días que pasaba sin hacer nada, abría sus páginas, miraba los saltamontes morados y los peces voladores que yo mismo había dibujado y sentía curiosidad por saber qué opinaría el sultán al leer aquellas líneas.

Solo a principios de primavera llamaron por fin al Maestro. El niño se alegró mucho al verlo; según me contó el Maestro, se le notaba en cada gesto y en cada palabra que se había acordado mucho de él, pero que no le había mandado llamar por las presiones de los imbéciles de su entorno. El sultán enseguida llevó la conversación a la conspiración de su abuela diciendo que el Maestro la había previsto, pero que también había previsto que el sultán saldría sano y salvo del peligro. El niño no había tenido miedo esa noche mientras oía los gritos de los que querían atentar contra su vida porque tenía presente al perro traidor cuyos dientes fueron incapaces de dañar a la liebre. Tras todos aquellos elogios, el sultán ordenó que le dieran un feudo al Maestro en un lugar adecuado. El Maestro tuvo que marcharse sin poder plantear el asunto de la astronomía y le dijeron que tendría que esperar hasta finales de verano para recibir el documento de usufructo del feudo.

Mientras esperaba, y confiando en los ingresos del feudo, el Maestro proyectó construir un observatorio a pequeña escala en el jardín; calculó las dimensiones de los cimientos y el coste de los instrumentos, pero esta vez se cansó pronto del juego. Entretanto había encontrado en un mercado de libros viejos una copia muy mal manuscrita del libro en el que se consignaban los resultados de las observaciones de Takiyüddin. Pasó dos meses comprobando la validez de las observaciones, pero como al final no pudo discernir qué errores se debían a sus baratos instrumentos, cuáles a Takiyüddin y cuáles al escribano de tan mala caligrafía, acabó por dejarlo furioso. Más aún le molestaban los versos rimados que algún propietario anterior del libro había encajado entre las tablas trigonométricas calculadas siguiendo una base sexagesimal. El propietario del libro, usando una serie de cálculos cabalísticos, realizaba unas modestas observaciones sobre el futuro del mundo: por fin tendría un hijo después de cuatro hijas, estallaría una epidemia que diferenciaría a los justos de los pecadores y su vecino Bahattin Efendi moriría. Aunque al principio al Maestro le divirtió aquella profecía, pronto se dejó llevar por la desesperación. Hablaba del interior de nuestras cabezas con una determinación extraña y terrible, como si fueran baúles cuya tapa podemos abrir para ver lo que contienen, como si se refiriera a los armarios de la habitación.

El feudo que le había prometido el sultán no se lo asignaron ni a finales del verano ni a principios del invierno. A la primavera siguiente le dijeron que estaban elaborando un nuevo catastro y que tendría que esperar. Al menos le llamaban de palacio, aunque fuera poco, para que explicara cómo debía interpretarse un espejo que se había roto, un rayo verde que había caído en el mar cerca de la isla de Yassi o una jarra llena de zumo de cerezas color rojo sangre que se había hecho añicos de repente, y para contestar a las preguntas del sultán sobre los animales del último opúsculo que habíamos escrito. Al regresar a casa decía que el niño ya había entrado en la pubertad, que esa era la época en que resultaba más fácil influir en una persona y que pronto lo tendría en la palma de la mano.

Con ese objetivo empezó a escribir un libro completamente nuevo. Gracias a mí supo del final de los aztecas y de las memorias de Cortés, y en la mente ya tenía de antes la historia del pobre niño rey que era empalado por no hacer caso de la ciencia. Por aquel entonces hablaba de los miserables que con la fuerza de sus cañones y máquinas, cuentos y armas derrotaba y sometía a sus designios a las buenas gentes mientras dormían. No obstante, durante mucho tiempo me ocultó lo que se encerraba a escribir. Yo notaba que estaba esperando que le preguntara, pero por aquellos días la nostalgia del hogar, que me arrastraba a una extraordinaria infelicidad, había aumentado el rencor que sentía por él; reprimí mi curiosidad y conseguí aparentar que no sentía el menor interés por las conclusiones a las que llegaba su creativa inteligencia a partir de las lecturas de malos libros, que compraba medio desencuadernados porque le salían baratos, y de lo que yo le contaba. Así podía ver complacido cómo día tras día iba perdiendo lentamente la confianza primero en sí mismo y luego en lo que estuviera intentando escribir en aquel momento.

Subía a la pequeña habitación del piso superior que había convertido en su estudio, se sentaba a la mesa que yo había encargado e incluso meditaba, pero no escribía; yo podía sentir… no, lo sabía, que no era capaz de escribir; sabía que no tenía el valor suficiente como para escribir nada sin antes conocer mi opinión. No eran exactamente mis simples opiniones, que aparentaba recibir con desprecio, lo que le impedía creer en sí mismo: en realidad quería saber lo que pensaban «ellos», los que eran como yo, los que me habían enseñado todos aquellos conocimientos, los que me habían puesto en la cabeza aquellas cajas, aquellos estantes de ciencia. ¿Qué pensarían ellos en esta situación? Se moría de ganas de preguntarme, ¡pero era incapaz de hacerlo! ¡Cuánto tiempo esperé que se tragara su orgullo y que me lo preguntara valientemente! Pero no lo hizo. Un tiempo después dejó aquel libro que no sé si llegó a terminar y volvió a la cantinela de los «estúpidos». La verdadera ciencia pasaba por comprender por qué eran tan estúpidos; había que saber por qué el interior de sus cabezas era así y actuar en consecuencia. Yo pensaba que volvía a repetir las mismas cosas de pura desesperación porque no recibía de palacio las señales de deferencia que esperaba. El tiempo pasaba indolente, el sultán estaba en la pubertad pero eso a él no le era de mucha utilidad.

El verano anterior a que nombraran gran visir a Köprülü Mehmet Bajá, por fin el Maestro tomó posesión de su feudo y además pudo elegir el lugar: se juntaron los ingresos de dos molinos cerca de Gebze y de dos aldeas a una hora de viaje de la ciudad. Fuimos a Gebze en la época de la cosecha y alquilamos nuestra antigua casa, que por pura casualidad se encontraba vacía, pero el Maestro había olvidado los meses que pasamos allí y los días en que miraba con odio la mesa que yo le había encargado al carpintero. Como si sus recuerdos hubieran envejecido con la casa y se hubieran vuelto feos; de hecho, estaba tan impaciente como para no interesarse por nada que hubiera quedado en el pasado. Fue varias veces a las aldeas a supervisarlo todo; se informó de los ingresos de años anteriores e, influido por las ideas de Tarhuncu Ahmet Bajá, de quien había oído hablar a sus compañeros de tertulia de la sala de los relojes, anunció que había descubierto una manera de llevar las cuentas del feudo que las haría mucho más simples y comprensibles.

Pero no se limitó a ese descubrimiento de cuya originalidad y utilidad él mismo dudaba: porque las noches que pasaba en el jardín de atrás de la vieja casa sentado mirando al cielo sin hacer otra cosa habían inflamado de nuevo su pasión por la astronomía. Durante un tiempo yo mismo le estimulé pensando que llevaría sus ideas un paso más allá, pero sus intenciones no eran ni realizar observaciones ni elucubrar teorías: llamó a casa a los jóvenes y niños más inteligentes que había conocido en las aldeas y en Gebze haciéndoles saber que les enseñaría la ciencia más sublime y a mí me envió a Estambul para traer el modelo que habíamos construido, reparó las campanillas, lo engrasó, lo montó en el jardín de atrás para ellos, y una noche, con una esperanza y un vigor que yo ignoraba de dónde habría sacado, repitió entusiasta, sin simplificarla lo más mínimo, aquella teoría cosmográfica que años atrás primero le había expuesto al bajá y luego al sultán. Para perder de una vez por todas cualquier esperanza en la astronomía y en aquella gente, que regresó a sus casas a medianoche sin haber formulado ni una sola pregunta, le bastó con que a la mañana siguiente nos encontráramos ante la puerta el corazón de un cordero con conjuros escritos, rezumando todavía sangre templada.

Tampoco le dio una importancia exagerada a aquella derrota. Por supuesto, no iban a ser ellos quienes entendieran cómo giraban el mundo y las estrellas y no hacía falta que lo entendieran por ahora; quien debía entenderlo estaba a punto de dejar atrás la pubertad y quizá nos hubiera buscado en nuestra ausencia, y nosotros estábamos desaprovechando aquella oportunidad por las cuatro piastras que íbamos a conseguir después de la cosecha. Después de poner nuestros asuntos en orden y de contratar como criado al joven de apariencia más inteligente de todos aquellos muchachos inteligentes, regresamos a Estambul.

Los tres años siguientes fueron los peores. Cada día era una fastidiosa y enervante repetición del anterior; cada mes, del que ya habíamos pasado; y cada estación, de otra que ya habíamos vivido. Volvíamos a ver las mismas cosas doloridos y desesperados y era como si estuviéramos esperando en vano una derrota que no sabíamos nombrar. Con todo, seguían llamándole de vez en cuando a palacio, donde esperaban que hiciera interpretaciones inofensivas; seguía yendo cada jueves por la tarde a verse con sus colegas científicos en la sala de los relojes y, aunque no con la regularidad de antaño, seguía acudiendo por las mañanas a ver y a pegar a sus alumnos; aunque ahora sufriera breves episodios de indecisión, seguía resistiéndose a los que de vez en cuando venían con la intención de casarle; se veía obligado a escuchar aquella música, que ahora decía que no le gustaba, para seguir acostándose con mujeres; en ocasiones seguía sintiendo que le asfixiaba el odio que sentía por los estúpidos, continuaba encerrándose en su habitación, se echaba en la cama y, después de hojear furioso aquí y allá las pilas de manuscritos y libros que le rodeaban, permanecía horas mirando al techo.

Otra cosa que incrementaba su desdicha eran las victorias de Köprülü Mehmet Bajá, cuyos detalles conocía por los amigos que aún acudían a la sala de los relojes. Cuando me contaba que la flota había vencido a los venecianos, que había recuperado las islas de Tenedos y Limni, o que el ejército había aplastado al rebelde Abaza Hasan Bajá, siempre añadía que aquel era su último triunfo y que sería transitorio; eran los últimos forcejeos del tullido que pronto se ahogaría en el cieno de su estupidez y su incapacidad. Era como si esperara un desastre que cambiara los días cuya repetición tanto nos agotaba. Además, como ya no le quedaban ni paciencia ni esperanza para dedicarse largo rato a ella, no le entretenía más aquello que se obstinaba en llamar ciencia: la emoción de una nueva idea no le duraba más allá de una semana, enseguida lo olvidaba todo al recordar a los estúpidos. De hecho, ¿acaso no bastaba con lo que habíamos pensado hasta entonces? ¿Valía la pena devanarse los sesos con ellos? ¿Enfadarse de aquella manera? Puede que no encontrara la fuerza y el deseo necesarios para descender a los detalles de la ciencia precisamente porque acababa de aprender a distanciarse de los demás. Pero también empezó a creer que era distinto a ellos.

El primer entusiasmo iluminador nació directamente de su aburrimiento. Como no podía entregar su mente durante mucho rato a nada, por aquellos días pasaba el tiempo entrando y saliendo de las habitaciones de la casa, subiendo y bajando de un piso a otro y mirando al vacío por las ventanas, como los niños tontos y egoístas que son incapaces de entretenerse solos. Cuando se paraba a hablar conmigo entre aquellos enervantes e interminables paseos que hacían crujir entera la casa de madera, yo sabía que esperaba que le ofreciera un entretenimiento, una idea y alguna palabra de esperanza. Pero, a pesar de mi desaliento, yo le negaba la palabra que esperaba porque la rabia y el odio que sentía por él no habían perdido nada de su fuerza. Ni siquiera se la ofrecía cuando se tragaba su orgullo y se humillaba a pronunciar un par de frases con la intención de obtener alguna respuesta; y cuando le escuchaba alguna noticia de palacio que cabía interpretar como positiva o alguna idea que, en caso de que fuera capaz de aguantar y profundizar en ella, podría dar algún resultado digno de consideración, o bien le ignoraba, o bien apagaba su entusiasmo sacando a la luz el aspecto más superficial de aquello que me contaba. Me agradaba ver cómo se revolcaba en la nada, en la desesperación.

Pero luego encontró en aquella nada las nuevas ideas que habrían de entretenerle; quizá porque podía quedarse a solas, quizá porque su inteligencia, incapaz de detenerse en detalle en nada, no podía escapar a su impaciencia. Entonces sí que le contesté; quise alentarle porque lo que se le había ocurrido me interesó y porque pensé que quizá así se diera cuenta de mi existencia. Una tarde aquellos pasos que hacían crujir la casa entraron en mi habitación, y cuando el Maestro me preguntó, como si hablara de algo cotidiano y vulgar: «¿Por qué yo soy yo?», le contesté con la intención de animarle a seguir.

Después de responderle que ignoraba por qué él era él, añadí que esa pregunta se la hacían mucho «ellos» allí y que cada vez se la preguntaban más. Mientras lo decía, en mi mente no había ni el menor ejemplo, ni la menor idea en la que pudiera apoyar mi afirmación, solo quise contestar a la cuestión tal y como él quería que lo hiciera y quizá porque intuí que le gustaría el juego. Se sorprendió. Me miraba con curiosidad pretendiendo que siguiera, pero como yo guardé silencio, perdió la paciencia y me pidió que se lo repitiera: ¿así que «ellos» también se hacían aquella pregunta? Se enfureció en cuanto vio que yo sonreía confirmándoselo. No lo preguntaba porque ellos lo hicieran, se lo había preguntado él solo sin saber que ellos también se lo preguntaban, lo que ellos hicieran no le importaba lo más mínimo. «Es como si una voz me estuviera cantando continuamente en el oído», dijo luego con un tono extraño. Aquel cantante en el fondo de sus oídos le había recordado a su difunto padre, antes de morir él también había tenido uno parecido, pero sus melodías eran otras. «El mío siempre está repitiendo el mismo estribillo. —Pareció avergonzarse un poco y de repente añadió—: Yo soy yo, yo soy yo, ¡ah!»

Estuve a punto de soltar una carcajada, pero me contuve. Si aquello era una broma cordial él debería haber reído también y no lo hacía; con todo, se daba cuenta de que se hallaba en el umbral de lo ridículo. Me correspondía a mí demostrar que era consciente tanto de lo cómico de la situación como del significado de aquella cantinela, porque ahora quería que yo continuara. Le dije que había que tomarse en serio el estribillo aunque, por supuesto, quien cantaba aquella melodía en el fondo de sus oídos no era otro sino él mismo. Debió de encontrar un cierto sarcasmo en mis palabras porque se enfadó: ¡ya lo sabía, lo que despertaba su curiosidad era por qué la voz no dejaba de decirle eso!

Por supuesto, no le contesté que era de puro aburrimiento, pero, la verdad, eso era lo que pensaba: sabía, no solo por mí sino también por mis hermanos, que el aburrimiento de los niños egoístas puede ser muy fértil o bien producir resultados absurdos. Le dije que no había que pensar en las causas de aquel estribillo, sino en su significado. Entonces se me ocurrió que quizá se estuviera volviendo loco en aquella nada; yo podría salvarme de la opresión que me provocaban la falta de esperanza y la cobardía siguiéndole el hilo. O tal vez entonces pudiera sentir verdadera admiración por él; si era capaz de conseguirlo, por fin ocurriría algo real en la vida de ambos. «¿Y qué voy a hacer?», preguntó por fin, desesperado. Le dije que pensara por qué él era él, pero no como un consejo, yo no podía ayudarle en aquel asunto, así que era él quien tendría que ocuparse de todo el trabajo. «¿Y qué puedo hacer, mirarme al espejo?», me respondió sarcásticamente, pero no parecía más tranquilo. Yo guardé silencio para que se lo pensara. «¿Me miro al espejo?», repitió. De repente me enfurecí. Pensé que el Maestro no llegaría a ninguna parte por sí solo. Quise que se diera cuenta y estuve a punto de decirle a la cara que sin mí era incapaz de pensar siquiera, pero me faltaba el valor suficiente; con actitud indolente le contesté que sí, que se mirara al espejo. No, no era que no tuviera valor, simplemente no tenía ganas. Se enfadó, y mientras salía dando un portazo gritó que yo era estúpido.

Cuando tres días más tarde saqué de nuevo el tema a relucir y me di cuenta de que pretendía llevar de nuevo la conversación a «ellos», quise seguir con el juego, porque, fuera como fuese, en aquel momento resultaba esperanzador hasta el mero hecho de que se entretuviera con la cuestión. Le dije que ellos también se miraban al espejo y que lo hacían mucho más frecuentemente que los de aquí. No solo los palacios de reyes, príncipes y nobles, sino también los hogares de la gente vulgar, estaban llenos de espejos enmarcados con esmero y cuidadosamente colgados de las paredes. Pero si habían avanzado tanto en aquel asunto no era solo gracias a los espejos, sino a que también pensaban en ellos mismos de improviso. «¿Qué asunto?», me preguntó con una curiosidad y una inocencia que me sorprendieron. Pensé que había creído literalmente todo lo que le había dicho, pero luego sonrió: «¡Así que se están mirando al espejo de la mañana a la tarde!». Era la primera vez que se burlaba de lo que yo había dejado atrás en mi país. Irritado, busqué algo que le hiriera y, sin pensar, sin creérmelo, le dije lo primero que se me vino a la cabeza: solo uno mismo podía pensar en quién era, pero al Maestro le faltaba valor para hacerlo. Me agradó ver que arrugaba el gesto dolorido, tal y como yo había pretendido.

Pero pagaría cara aquella satisfacción. Y no porque me amenazara con envenenarme, sino porque, pocos días más tarde, me pidió que demostrara el valor que yo había afirmado que a él le faltaba. Primero quise tomármelo a broma; que uno pudiera descubrir quién era solo pensándolo o mirándose al espejo no era más que una broma; lo había dicho para irritarle, pero se negó a creer mis explicaciones. Me amenazó con racionarme la comida y además con encerrarme en mi habitación si no le demostraba mi valor. Tendría que pensar y escribir en un papel qué era yo, así él vería cómo se hacía y lo valiente que yo era.

5

Primero redacté algunas páginas describiendo los hermosos días que había pasado en nuestra finca de Empoli con mis hermanos, mi madre y mi abuela. No sabía claramente por qué había decidido contar todo aquello para explicar quién era yo: quizá fuera por la nostalgia que debería haber sentido por aquellos buenos días perdidos. Además, tras aquellas palabras innecesarias que le había dicho airado, el Maestro me presionaba de tal manera que me veía obligado a imaginar y escribir algo verosímil para el lector, consiguiendo que le interesaran los detalles que leía. Pero al principio al Maestro no le gustó nada de lo que redacté; eran cosas que cualquiera podía escribir, estaba convencido de que no era aquello lo que hacían los que se miraban al espejo y pensaban sobre sí mismos porque no podía consistir en eso la valentía de la cual, al parecer, yo opinaba que el Maestro carecía. Me respondió de igual forma cuando leyó cómo me había dado de cara con un oso que me salió al paso durante una partida de caza en los Alpes con mi padre y mis hermanos, y cómo nos habíamos sostenido la mirada largo rato, o lo que había sentido por nuestro querido cochero, que murió en su lecho después de que sus propios caballos lo pisotearan ante nuestros ojos: cualquiera podía escribir eso.

Así pues, le expliqué que lo que hacían ellos no iba mucho más allá, que mis palabras solo habían sido una exageración provocada por la ira y que no debía esperar más de mí. Pero no me escuchaba; seguí escribiendo las imágenes que acudían a mi mente, temeroso de que me encerrara en mi habitación. Así fue como, en el plazo de dos meses, reviví y repasé con agrado y dolor gran cantidad de recuerdos como aquellos, pequeños pero agradables de rememorar: soñé y viví todo lo que, bueno o malo, había vivido hasta el momento en que caí cautivo. Al final me di cuenta de que disfrutaba haciéndolo. Ya no hacía falta que el Maestro me obligara a seguir escribiendo; cada vez que me decía que lo que quería no era aquello, yo pasaba a otro recuerdo, a otra historia que previamente había decidido escribir.

Mucho tiempo después, cuando vi que también al Maestro le agradaba lo que leía, comencé a aguardar el momento adecuado para convencerle de que él también lo hiciera. Con la intención de predisponerle, le hablé de ciertas experiencias de mi infancia: le describí el miedo de una noche insomne y eterna, la proximidad que sentía por un amigo de la juventud con el que había desarrollado la costumbre de pensar lo mismo al mismo tiempo, su posterior fallecimiento y cómo me daba terror que creyeran que yo también estaba muerto y me enterraran vivo. ¡Sabía que le gustaría aquello! Poco después me atreví a contarle un sueño: mi cuerpo se separaba de mí, se entendía con alguien parecido a mí que estaba en la oscuridad y cuya cara no se veía y ambos conspiraban en mi contra. Entonces el Maestro dijo que por aquellos días estaba volviendo a oír aquel ridículo estribillo y cada vez con mayor frecuencia. Al ver que le había impresionado con el sueño tanto como pretendía, le insistí en que también él debería probar a escribir aquel tipo de cosas. Así, por un lado se distraería de aquella interminable espera y por otro trazaría la auténtica línea que le separaba de los estúpidos. De vez en cuando le llamaban de palacio, pero no se producía ningún acontecimiento esperanzador. Al principio se hizo un poco de rogar, pero, al insistirle, aceptó intentarlo entre curioso y avergonzado. Como temía hacer el ridículo, hasta se atrevió a hacer un chiste: ya que íbamos a escribir juntos, ¿también nos miraríamos juntos al espejo?

Cuando dijo «escribir juntos» ni se me pasó por la cabeza que iba a pretender sentarse a la mesa conmigo. Yo creía que cuando él comenzara a escribir, yo volvería a la perezosa libertad del esclavo haragán, pero me equivocaba. Me dijo que tendríamos que sentarnos cada uno a un extremo de la mesa y escribir frente a frente; solo así podríamos encauzar nuestras mentes, que vagaban a la deriva al enfrentarse a cuestiones tan espinosas, y solo así podríamos darnos mutuamente sensación de orden y laboriosidad. Pero todo eso eran excusas, y yo lo sabía: temía quedarse solo, sentir que estaba solo mientras pensaba. Lo comprendí mejor cuando comenzó a susurrar de manera que yo pudiera oírle en cuanto se enfrentó a la página en blanco: esperaba que yo aprobara por anticipado lo que se disponía a escribir. Tras garabatear unas cuantas frases, me mostraba lo que había escrito con una curiosidad y una falta de amor propio que recordaban una cierta modestia infantil: ¿valía la pena escribir eso? Y, por supuesto, yo aprobaba todo lo que hacía.

Así pues, en dos meses aprendí tanto de su vida como no había podido saber en diez años. Su familia vivía en Edirne, donde más tarde iríamos con el sultán. Su padre había muerto muy pronto y apenas recordaba su cara. Su madre era una mujer muy laboriosa. Luego se había vuelto a casar. De su primer marido tenía dos hijos, mujer y varón, y del otro había tenido cuatro varones. El hombre hacía edredones. El hermano más interesado por los estudios había sido, por supuesto, él. También me enteré de que, entre todos ellos, era el más inteligente, el más diestro, el más trabajador y el más fuerte; también era el más honesto. Con la excepción de su hermana, recordaba a sus hermanos con odio, pero no estaba muy seguro de que valiera la pena escribir nada sobre ellos. Yo le estimulé a que lo hiciera quizá porque por aquel entonces ya intuía que haría míos su estilo y su biografía. Tanto en su lenguaje como en su actitud había algo que me gustaba y que me interesaba aprender. Uno debe amar mucho la vida que ha escogido para luego hacerla suya; y yo la amo. Por supuesto, pensaba que todos sus hermanos eran estúpidos, solo le buscaban para pedirle dinero, pero él se había entregado al estudio. Fue aceptado en la madrasa de la Selimiye y estaba a punto de terminar cuando fue víctima de una calumnia. No volvió a mencionar aquel hecho, de la misma forma que nunca hablaba de las mujeres. Al principio escribió que había estado a punto de casarse una vez, pero luego rasgó furioso las páginas. Esa noche caía una lluvia sucia. Fue la primera de aquellas noches terribles de las que tantas viví luego. Después de insultarme y de decir que todo lo que había escrito era falso, se dispuso a redactarlo de nuevo y, como me exigía que me sentara frente a él y yo también escribiera, me pasé dos días sin dormir. Ya ni siquiera le echaba un vistazo a lo que yo hacía; yo le observaba de reojo, sentado en el otro extremo de la mesa y repitiendo una y otra vez las mismas cosas sin forzar la imaginación.

Unos días más tarde comenzó a escribir cada mañana «Por qué yo soy yo» en aquellos caros y blancos papeles que le traían del este, pero debajo de aquel encabezamiento no escribía sino las razones por las que los demás eran tan miserables y necios. Con todo, pude enterarme de que habían sido injustos con él tras la muerte de su madre, que con el dinero que había podido conseguir había venido a Estambul, que durante un tiempo había frecuentado un convento de derviches pero que se había ido de allí tras darse cuenta de que todos eran unos miserables y unos impostores. Le pedí que me contara algo más de aquella aventura ya que pensé que el hecho de librarse de ellos había sido un auténtico logro del Maestro: fue capaz de irse él solo. Se enfureció cuando se lo dije y me echó en cara que pretendiera enterarme de todos los detalles rastreros para algún día usarlos en su contra; de hecho, ya sabía más de él de lo que debía y le hacía sospechar que además quisiera enterarme de ese tipo de detalles, y aquí usó una de esas groseras palabras que se refieren al sexo. Luego me habló largamente de su hermana Semra, de su bondad y de la maldad de su marido; mencionó la pena que le provocaba el no haber podido verla desde hacía años, pero volvió a sospechar en cuanto me interesé por aquella cuestión y enseguida pasó a otra. Me estaba contando cómo durante mucho tiempo no había hecho otra cosa sino leer después de gastarse en libros todo el dinero que le quedaba y cómo luego había encontrado pequeños empleos como secretario aquí y allá hasta que se dio cuenta de lo sinvergüenza que era la gente, cuando de repente se acordó de Sadık Bajá, de cuya muerte en Erzincan acabábamos de recibir noticia. Fue por entonces cuando le conoció, le había caído tan bien, gracias a su interés por la ciencia, que fue él quien le buscó el puesto como profesor en la escuela de muchachos, aunque, en realidad, era un estúpido. Tras un mes de aquel trabajo de redacción, una noche se dejó llevar por el arrepentimiento y rompió todo lo que había escrito. Por eso ahora, cuando intento recuperar lo que él había escrito y mi propio pasado basándome en la fuerza de mi imaginación, no temo que me arrastren detalles que me gustaban. En un último arranque de entusiasmo escribió algo sobre aquellos que clasificó bajo el encabezamiento de «Estúpidos que conozco de cerca», pero luego se enfadó: ninguno de aquellos apuntes le había llevado a ninguna parte, no había aprendido nada y seguía sin saber por qué era él. Yo le había engañado obligándole a pensar de nuevo en cosas que no quería recordar, y todo para nada. Me castigaría por ello.

No sé por qué se le metió en la cabeza por entonces aquella idea de castigarme, algo que me recordaba a los primeros días que pasamos juntos. A veces pensaba que le estaba provocando porque me comportaba como un cobarde manso y obediente. No obstante, decidí resistirme en cuanto pronunció la palabra «castigo». Durante un rato el Maestro, harto ya de recordar, estuvo paseando por la casa arriba y abajo. Luego regresó hasta donde yo me encontraba y me dijo que, en realidad, sobre lo que teníamos que escribir era sobre el pensamiento: de la misma forma que uno puede ver su aspecto mirándose en un espejo, observando sus pensamientos puede contemplar su esencia.

También a mí me entusiasmó la brillantez que demostraba la analogía. Rápidamente nos sentamos a ambos extremos de la mesa. Esta vez yo también, aunque fuera medio irónicamente, escribí al principio de la página «Por qué yo soy yo». De inmediato comencé a narrar un recuerdo de mi infancia que describía bastante bien mi timidez porque en aquel instante fue eso lo que se me vino a la cabeza como la verdadera esencia de mi personalidad. Cuando leí lo que había escrito el Maestro, que volvía a quejarse de la maldad de los demás, se me ocurrió una idea que en aquel momento me pareció importante y se la planteé al instante: el Maestro debía escribir también sobre sus propias maldades. Entonces, como había leído lo que yo había escrito, me dijo que él no era un cobarde. Me enfrenté a él: sí, no era un cobarde, pero, como cualquier otro, también él tenía aspectos que no eran positivos y si los asumía acabaría por encontrarse a sí mismo. Yo lo había hecho y él quería ser como yo. Vi que se irritaba cuando le expliqué que lo había intuido, pero se contuvo, e intentando ser comedido, me respondió: los malos eran los otros, no todo el mundo, por supuesto, pero todo estaba patas arriba a causa de lo imperfectos y negativos que eran en su mayoría. Insistiendo en la idea, le repliqué que también él era malvado, y mucho, en muchos aspectos, y que era necesario que se diera cuenta. Añadí insolente: el Maestro era peor que yo.

¡Así empezaron aquellos ridículos y terribles días de maldad! Después de atarme a la silla y sentarme ante la mesa, se situaba frente a mí y me ordenaba que escribiera lo que me pedía, pero ni siquiera él sabía ya de qué se trataba. Lo único que tenía en la cabeza era aquella analogía: de la misma manera que uno observa su exterior mirándose al espejo, debería poder ver el interior de su cerebro pensando. Según él, aparentaba no saber hacerlo, pero en realidad le estaba ocultando el secreto. Mientras el Maestro se sentaba frente a mí esperando que desvelara el enigma, yo llenaba las páginas que tenía delante con historias exageradas de mis maldades: describía con sumo placer y evidente exageración los pequeños hurtos de mi niñez, las mentiras envidiosas, las tramas urdidas sibilinamente para que me quisieran más que a mis hermanos, los pecados sexuales de mi juventud. Después de que el Maestro lo leyera con curiosidad y con un extraño aspecto entre complacido y asustado que a mí me dejaba boquiabierto, se enfurecía aún más e incrementaba el castigo al que me tenía sometido y que ya había perdido toda medida. Puede que se rebelara ante la maldad de un pasado que presentía que sería el suyo. Comenzó a pegarme. Después de leer alguno de mis pecados me daba un puñetazo en la espalda entre rabioso y bromista mientras me decía: «¡Eres un sinvergüenza!». A veces no podía contenerse y me abofeteaba. Como ahora lo llamaban menos de palacio y se había convencido de que no encontraría nada que le interesara aparte de nosotros dos, puede que lo hiciera por puro aburrimiento. Pero mientras él leía mis maldades e incrementaba sus pequeñas torturas infantiles, a mí me poseía una extraña confianza: comencé a pensar que por primera vez lo tenía en la palma de la mano.

En cierta ocasión, después de haberme hecho bastante daño, vi que se apiadaba de mí. Era un sentimiento maligno mezclado con la repugnancia que nos produce alguien a quien no consideramos en absoluto un igual; lo comprendí asimismo porque ahora podía mirarme sin odio. «No escribamos más», dijo. «No quiero que escribas más», se corrigió luego porque desde hacía semanas él simplemente me observaba mientras yo escribía mis maldades. Luego dijo que debíamos salir de aquella casa cada vez más sumida en la melancolía y hacer un viaje, quizá ir a Gebze. Volvería a sus trabajos sobre astronomía y pensaba escribir un opúsculo más serio sobre la vida de las hormigas. Sentí miedo al ver que estaba a punto de perder por completo el respeto que me tenía, así que, para mantener su interés, me inventé otra historia en la que me rebajaba de la peor manera. Después de leer apasionado y complacido lo que había escrito, el Maestro ni siquiera se enfadó conmigo; intuí que simplemente se preguntaba cómo podría yo soportar ser un hombre tan malvado. Puede que en ese

momento estuviera dispuesto a conformarse con ser él durante el resto de su vida. Por supuesto, sabía que en todo aquello
había algo de representación teatral. Ese día hablé con él como
un bufón palaciego a quien ni siquiera se considera humano;
intenté estimular su curiosidad, cada vez mayor: para comprender cómo era posible que yo fuera así, podía intentar
escribir algo sobre sus propias maldades una última vez antes
de que nos marcháramos a Gebze, ¿qué tenía que perder?
Además, no había ninguna necesidad de que lo que escribiera
fuera verdad ni de que nadie lo creyera. Si lo hacía, compren-
dería la forma de ser de aquellos que eran como yo, ¡algún día
le serían muy útiles esos conocimientos! Por fin, incapaz de
aguantar más su curiosidad y mi palabrería, aceptó intentarlo al
día siguiente. Por supuesto, no se le olvidó añadir que lo haría
porque quería y no porque se hubiera dejado engañar por mis
tontos enredos.

El día siguiente fue el más placentero de mi vida como esclavo. Ya no me ató a la silla, pero me pasé el día sentado frente
a él para observar complacido cómo iba convirtiéndose lentamente en otro hombre. Al principio estaba tan convencido de
lo que iba a hacer que incluso le dio pereza escribir en el encabezamiento de la página aquel ridículo «Por qué yo soy yo». Luego le envolvió la confianza del niño bromista que está buscando
una mentira divertida; yo podía ver de reojo que todavía se
encontraba en su sólido mundo. Pero aquella confianza vacua
no le duró mucho; tampoco el artificial sentimiento de culpabilidad que adoptó como si fuera un espectáculo destinado a
mí con la intención de convencerme. Sin que pasara mucho, el
sarcasmo se convirtió en preocupación, el teatro en realidad.
Aparentar que se acusaba, aunque fuera en falso, le asustaba de
una manera sorprendente. ¡Enseguida tachó lo que había escrito, sin enseñármelo! Pero ya le había picado la curiosidad, y supongo que también se sentía avergonzado ante mí, así que
continuó. Sin embargo, si simplemente hubiera escrito lo primero que se le vino a la cabeza y luego se hubiera levantado de
la mesa, quizá no habría perdido el buen humor.

En las horas que siguieron lo vi desmoronarse poco a poco. Escribía algo inculpatorio y luego lo rompía al instante sin enseñármelo, y cada vez perdía más la confianza y el respeto en sí mismo, pero volvía a empezar con la esperanza de recuperar lo perdido. No pude ver ninguna de aquellas confesiones de maldad que supuestamente debería haberme enseñado ni una palabra de aquellos escritos que al caer la noche yo me moría por leer, todos los rompió y los tiró, y ya se le habían agotado las fuerzas. Mientras me decía a gritos que aquello solo era un mezquino juego de infieles, la poca confianza en sí mismo que le quedaba era tan débil que incluso me atreví a darle una respuesta arrogante: le dije que no lo lamentara tanto, que ya se acostumbraría a ser malvado. Quizá porque no pudo soportar más mi mirada, se fue de casa y no regresó hasta muy tarde. Comprendí por el olor que le impregnaba que, tal y como había supuesto, había ido a aquella casa para acostarse con alguna mujer vulgar.

A la tarde siguiente, y con la intención de provocarle para que siguiera, le dije al Maestro que él era lo bastante fuerte como para que no le hicieran daño aquellos jueguecitos. Además, lo hacíamos para aprender algo y no para matar el tiempo y una vez que acabáramos podríamos comprender por qué eran así aquellos a los que llamaba estúpidos. ¿Acaso no era un trabajo lo bastante interesante conocernos a fondo? Insistí diciendo que a cualquiera le poseería el hechizo de conocer al prójimo hasta en el más mínimo detalle, como nos fascinan las pesadillas.

Volvió a sentarse a la mesa, no por aquellas palabras mías, que se tomó tan en serio como las payasadas de un bufón, sino gracias a la confianza en sí mismo que le había devuelto la luz del sol. Cuando aquella noche se levantó de ella confiaba en sí mismo aún menos que el día anterior. Me dio pena por él cuando vi que acudía de nuevo a aquellas mujeres.

Así fue como cada mañana se sentaba a la mesa creyendo que aquel día extraería de su interior las maldades que había decidido escribir y con la esperanza de recuperar lo que había perdido el día anterior, y por las noches se levantaba dejando sobre ella algo más de lo poco que todavía le quedaba. Ya no me despreciaba porque él mismo se despreciaba; yo creía haber encontrado el sentimiento de igualdad que en los primeros días que pasé con él había creído una ilusión: me sentía muy satisfecho. Como le ponía nervioso, me dijo que no hacía falta que me sentara en el otro extremo de la mesa; aquello era una buena señal, pero la rabia que llevaba años acumulando se me había desbocado excitada. Quería vengarme, pasar al ataque; yo, como él, había perdido la medida: me daba la impresión de que si lograba que dudara un poco más de sí, si leía algunas de esas confesiones que tanto me ocultaba y le humillaba cuidadosamente, entonces sería él el esclavo y no yo, él sería el malvado de la casa. De hecho, ya podían notarse algunos indicios. De vez en cuando veía que quería asegurarse de si me burlaba de él o no, comenzó a esperar mi aprobación como todos esos seres débiles que no confían en sí mismos, me preguntaba más mi opinión sobre las pequeñas cuestiones cotidianas: ¿llevaba la ropa adecuada? ¿Había estado bien la respuesta que le había dado a alguien? ¿Me gustaba su caligrafía? ¿Qué pensaba? A veces yo me humillaba para que no acabara por desesperarse y abandonar el juego, para que así se quedara más tranquilo. Me observaba con aquella mirada de «Eres un…», pero ya no me propinaba un puñetazo; estoy seguro de que pensaba que también él se merecía uno.

Tenía mucha curiosidad por saber qué serían esas confesiones que provocaban que se despreciase de tal manera. Como por aquellos días me había acostumbrado a verlo como a un ser inferior, aunque solo fuera para mí mismo, suponía que se trataría de una serie de maldades simples e intrascendentes. Ahora, cuando para hacer más verosímil mi pasado me propongo inventarme con todo detalle alguna de aquellas confesiones, de las cuales no pude leer ni una línea, soy incapaz de encontrar alguna maldad que atribuirle al Maestro que no altere el equilibrio de mi historia y de la vida que imagino para mí. Pero supongo que cualquiera en mi situación puede recuperar la confianza en sí mismo: ¡debería haber dicho que, sin que el Maestro se diera cuenta, conseguí que hiciera un descubrimiento y que, aunque no fuera de manera demasiado evidente y clara, logré sacar a la luz sus puntos flacos y los de los que eran como él! Supongo que pensaba que no estaba lejano el día en que me vengaría no solo de él sino de los demás también, les hundiría demostrando que eran unos malvados. ¡Creo que los que están leyendo esta historia ya habrán comprendido que yo había aprendido tanto del Maestro como él de mí! Quizá lo pienso ahora porque cuando uno envejece busca más la simetría, incluso en las historias. Probablemente me animaba el rencor acumulado durante años. Después de humillar lo bastante al Maestro, le demostraría mi superioridad, o, al menos, mi autonomía, y luego le pediría arrogante el documento de mi manumisión. Soñaba con que me dejaría libre sin rechistar y pensaba en los detalles de los libros que escribiría sobre mis aventuras y sobre los turcos en cuanto volviera a mi país. ¡Con qué facilidad era capaz de perder los papeles! Pero una noticia que me trajo una mañana lo cambió todo.

¡Había estallado la peste en la ciudad! Al principio no le creí porque lo dijo como si no se tratara de Estambul sino de alguna lejana ciudad. Le pregunté cómo se había enterado de la noticia, quise saber los detalles. Se habían dado cuenta de que las muertes se multiplicaban de repente y comprendieron que se trataba de una epidemia. Quizá no fuera la peste, pensé, y le pregunté por los síntomas. El Maestro se me rió en la cara: no debía preocuparme, si la contraía sabría que me había contagiado sin la menor duda, para eso tenía uno los tres días de fiebre que proporcionaba la enfermedad. Se producían hinchazones por detrás de las orejas, o en las axilas, o en el vientre, y luego venía la fiebre; a veces, se reventaban las bubas, a veces salía sangre de los pulmones y había quien moría tosiendo como un tísico. Añadió que en todos los barrios morían a montones. Inquieto, le pregunté por el nuestro: ¿acaso no lo había oído? El albañil aquel que estaba peleado con todo el barrio porque los niños se comían las manzanas de su huerto y las gallinas le entraban por los muros había muerto hacía una semana delirando entre gritos por la fiebre. Ahora todos habían comprendido que había muerto de peste.

Con todo, yo seguía sin querer creerlo; fuera todo era tan normal, la gente que pasaba ante la ventana estaba tan tranquila, que era como si necesitara a alguien que compartiera mi preocupación para así poder creer en la existencia de la peste. A la mañana siguiente me lancé a la calle en cuanto el Maestro se fue a la escuela. Busqué a los renegados italianos que había podido conocer tras once años de estancia allí. Uno, cuyo nuevo nombre era Mustafá Reis, había ido a los astilleros; el otro, Osman Efendi, al principio no me quiso abrir la puerta aunque llamé a puñetazos, luego le hizo decirme a su criado que no estaba en casa, pero, por fin, no pudo soportarlo más y me llamó a mis espaldas cuando ya me iba: ¿cómo era posible que todavía preguntara si la enfermedad era real? ¿Acaso no veía todos esos ataúdes que la gente llevaba a hombros? Luego me dijo que se notaba que tenía miedo, que me lo veía en la cara, ¡que tenía miedo porque insistía en continuar siendo cristiano! Me reprendió: si uno quería ser feliz allí debía convertirse al islam. No me ofreció la mano ni me tocó antes de volver a encerrarse en la húmeda oscuridad de su casa. Era la hora de la oración y al ver a la multitud reunida en el patio de la mezquita regresé a casa a toda velocidad poseído por el miedo. Sufría esa estupefacción que te sobreviene en los momentos de desastre. Era como si hubiera olvidado mi pasado, había perdido los colores de mi memoria, estaba petrificado. Ver en el barrio a un grupo llevando a hombros un ataúd me crispó los nervios.

El Maestro volvió de la escuela y pude notar que le alegraba encontrarme en aquel estado. Me irritó ver cómo crecía su confianza en sí mismo porque me consideraba un cobarde. Quise que se desprendiera de aquel orgullo vacuo que le otorgaba la temeridad. Intentando mantener controlados mis nervios le expuse todos mis conocimientos médicos y literarios: le relaté todas las escenas de peste que aún tenía en la memoria descritas por Hipócrates, Tucídides y Boccaccio y le dije que se creía que la enfermedad era contagiosa, pero mis palabras solo sirvieron para que me despreciara aún más. Tenía miedo de la peste porque la enfermedad era consecuencia de la voluntad de Dios, si uno tenía que morir, moría; por eso era inútil interrumpir todo contacto con el exterior o intentar huir de Estambul, tanto como las tonterías que balbucía cobardemente. Si estaba escrito, la muerte vendría a buscarnos allí también. ¿Por qué tenía miedo? ¿Por todas aquellas maldades que había estado vertiendo en el papel durante días? Sonrió mientras lo decía, y sus ojos brillaban esperanzados.

No supe si creía o no en lo que había dicho hasta el día en que nos perdimos mutuamente. Al principio me dio miedo su audacia, pero luego, cuando se me vino a la cabeza lo que hablábamos en la mesa y recordé aquellos juegos terribles, tuve serias sospechas. Daba vueltas y revueltas hasta llevar la conversación a las maldades que habíamos escrito y siempre desarrollaba el mismo razonamiento, que a mí me sacaba de mis casillas: si teníamos en cuenta el miedo que me daba la muerte, estaba claro que no había superado aquellas maldades con las que me presentaba aunque escribiera sobre ellas con tanta valentía. ¡El valor que mostraba al exponer mis pecados iba más allá de la simple desvergüenza! La indecisión que el Maestro había sufrido por aquellos días se debía a que se había detenido a examinar con sumo cuidado la menor falta, hilando lo más fino posible. Sin embargo, ahora estaba tranquilo y su profunda falta de miedo ante la peste le hacía creer con toda tranquilidad de corazón que era inocente.

Asqueado por aquella explicación que consideré estúpida, decidí no enfrentarme a él. Le dije inocentemente que su falta de miedo no provenía de que su corazón estuviera tranquilo, sino de que no era consciente de la proximidad de la muerte. Le expliqué que podíamos evitarla, pero que para eso tendríamos que rehuir tocar a los apestados, que los muertos debían ser enterrados en pozos de cal viva, que la gente debía reducir al mínimo los contactos y que él debía dejar de ir a aquella atestada escuela.

¡Esto último le dio una idea aún más horrible que la peste! A la tarde siguiente extendió los brazos hacia mí diciendo que había tocado a todos los niños, uno por uno; al ver que me daba miedo y que no quería que me tocara, se me acercó muy contento y me abrazó. Yo quería gritar pero me era imposible, como si estuviera en un sueño. El Maestro me decía con una ironía que solo pude descubrir mucho más tarde que me enseñaría a ser valiente.

6

La peste se extendía con rapidez pero yo seguía siendo incapaz de asimilar aquello que el Maestro llamaba «ser valiente». Cierto es que dejé de tomar tantas precauciones como los primeros días. Pasarme los días encerrado en una habitación mirando por la ventana como una mujer enferma a la que le han ordenado guardar cama acabó por agotarme la paciencia. De vez en cuando me arrojaba fuera de casa, vagaba por las calles como si estuviera borracho, observaba a las mujeres que iban de compras al mercado, a los comerciantes trabajando en sus tiendas y a los vecinos que se reunían en un café después de haber enterrado a sus seres queridos e intentaba hacerme a la idea de la peste. Y quizá habría llegado a acostumbrarme algo, pero el Maestro no me dejaba tranquilo.

Por las noches me echaba encima las manos, con las que decía haberse pasado el día tocando gente. Yo le esperaba perfectamente inmóvil. Como cuando te despiertas y ves que te está paseando por encima un alacrán y te quedas petrificado, ¡exactamente igual! Sus dedos no se parecían a los míos; mientras los pasaba helados sobre mí, el Maestro me preguntaba: «¿Tienes miedo?». Yo no podía moverme. «Tienes miedo. ¿Por qué?» A veces me entraban ganas de apartarle la mano de un golpe y luchar, pero sabía que con eso solo conseguiría que se enfureciera todavía más. «Yo te diré por qué tienes miedo. Porque eres un pecador. Tienes miedo porque estás hundido hasta la coronilla en el pecado. Tienes miedo porque me crees más de lo que yo te creo a ti.»

Fue él quien dijo que teníamos que sentarnos a la mesa a escribir. Ahora era cuando teníamos que escribir por qué éramos quienes éramos. Pero al final, como siempre, solo escribió por qué los demás eran como eran. Fue la primera vez que me mostró con orgullo sus escritos. Por alguna extraña razón, no pude ocultar mi asco al pensar que esperaba que me avergonzara lo que estaba leyendo y le dije que él se metía en el mismo saco que los estúpidos y que moriría antes que yo.

Entonces decidí que aquella predicción iba a ser mi arma más eficaz. Y para insistir, le recordé el trabajo de una década, los años que había perdido intentando establecer una teoría cosmográfica, cómo se había destrozado la vista observando durante horas el cielo y los días que se había pasado sin levantar la nariz de los libros. Ahora era yo quien se le echaba encima; le dije claramente lo absurdo que era morir en vano siendo posible vivir huyendo de la peste. Mis palabras, añadidas a sus sospechas, aumentaban los castigos. Pero por aquel entonces empecé a intuir que leyendo mis escritos volvía a recuperar, por mucho que le pesara, el respeto que me había perdido.

Para olvidar mis desdichas, comencé a rellenar páginas con los sueños de felicidad que tan a menudo tenía, no solo por las noches, sino también durante las siestas. Con la intención de olvidarme de todo, después de despertarme, transcribía cuidadosamente en un lenguaje poético aquellos sueños en los que el significado y la acción eran todo uno: entre los árboles del bosque que había junto a nuestra casa vivía una gente que conocía los secretos que tú llevabas años queriendo saber y una vez que reunías el valor suficiente para introducirte en la oscuridad del bosque te hacías su amigo; nuestras sombras no desaparecían al ponerse el sol, y mientras nosotros dormíamos pacíficamente en nuestras limpias y frescas camas ellas repasaban las mil pequeñas cosas que era necesario aprender y vivir, y así llegábamos a dominarlas una a una sin agotarnos; las personas a las que retrataba en mis sueños no se conformaban con ser hermosas imágenes en tres dimensiones sino que además salían de los marcos y se unían a nosotros; mis padres y yo montábamos en el jardín de atrás máquinas de acero que harían nuestro trabajo…

No era que el Maestro no fuera consciente de que aquellos sueños eran trampas demoníacas que le arrastrarían a la oscuridad de una ciencia inmortal, pero no podía dejar de preguntarme, aunque cada vez que lo hacía perdía un poco más la confianza en sí mismo: ¿qué significado tenían aquellos sueños absurdos? ¿Realmente los tenía? Y así fui yo el primero en hacerle lo que ambos le haríamos años más tarde al sultán: de mis sueños extraje conclusiones para nuestro futuro; era evidente que cuando a uno se le contagiaba el mal de la ciencia, resultaba tan imposible escapar de él como de la peste; no era difícil ver que al Maestro se le había contagiado la enfermedad, y, con todo, ¡uno seguía sintiendo curiosidad por saber cómo serían sus sueños! Me escuchaba con un claro escepticismo, pero como había doblegado su orgullo hasta el punto de llegar a preguntarme, no me presionaba demasiado; además, y me daba cuenta mientras hablaba, sentía verdadera curiosidad por lo que le contaba. No era que mi miedo a la muerte se redujera al ver cómo se resquebrajaba la tranquilidad que había envuelto al Maestro desde que comenzó la epidemia, pero por lo menos creía haberme librado de la soledad del miedo. Por supuesto lo pagaba con los tormentos nocturnos, pero ya había comprendido que no luchaba en vano: cuando me acercaba las manos le recordaba al Maestro que moriría antes que yo, la ignorancia de los que no tenían miedo, las obras que había dejado a medias, mis sueños de felicidad que él había leído aquel mismo día.

Pero fue otra cosa la que colmó el vaso y no mis palabras. Un día vino a casa el padre de uno de los muchachos de la escuela. Dijo que vivía en nuestro barrio y parecía un pobre hombre sencillo y humilde. Yo me retiré a un rincón como un gato hogareño y dormilón mientras ellos hablaban largo rato de esto y de lo de más allá. Luego nuestro invitado por fin soltó lo que tenía que decir: la hija de su tía se había quedado viuda a finales del verano pasado cuando su marido se cayó del tejado que estaba reparando. Ahora tenía muchos pretendientes, pero nuestro invitado había pensado en el Maestro porque sabía por la gente del barrio que aceptaba propuestas de matrimonio. El Maestro reaccionó de una manera tan ruda que me sorprendió: dijo que no quería casarse, pero que, aunque quisiera, nunca aceptaría a una viuda. A ese respecto, nuestro invitado le recordó cómo Mahoma había hecho de Hadiya su primera esposa sin que le importara que fuera viuda. El Maestro contestó que él había oído hablar de aquella viuda y que no valía ni lo que una uña de Hadiya. Nuestro peculiar y orgulloso vecino quiso insinuar que tampoco el Maestro era gran cosa: él personalmente no lo creía, pero los del barrio decían que el Maestro estaba como una cabra, a todos les parecía muy mala señal que mirase tanto las estrellas, que jugara con lentes y que construyera extraños relojes. Y con la avidez del comerciante que desprecia la mercancía que piensa comprar, añadió que los del barrio también decían que el Maestro no se sentaba a comer en el suelo con las piernas cruzadas sino en una mesa como los infieles; que después de gastarse sacos de dinero en libros los tiraba por ahí y los pisoteaba, incluyendo los que en sus páginas mencionaban el nombre del Profeta; que como contemplar el cielo durante horas no bastaba para calmar al diablo que tenía dentro, de día se tumbaba en la cama para mirar el sucio techo a la luz del sol; que no le gustaban las mujeres sino solo los muchachos; que yo era su hermano gemelo; que en Ramadán comía durante las horas del ayuno; y que la peste había sido enviada por su culpa.

Después de echar a nuestro invitado, el Maestro sufrió una crisis de ira. Decidí que se había acabado aquella paz que sentía al compartir los sentimientos de los demás, o por lo menos al aparentarlo. Para proporcionarle el último golpe, le dije que los que no temían a la peste eran tan estúpidos como aquel hombre. Aquello intranquilizó al Maestro, pero me contestó que él tampoco la temía. Por alguna extraña razón, decidí que lo decía con toda sinceridad. Estaba muy irritado, hasta el punto de no saber qué hacer con las manos, y no dejaba de repetir aquel estribillo de los «estúpidos» que había olvidado en los últimos tiempos. Después de oscurecer encendió un candil, lo colocó en el centro de la mesa y quiso que nos sentáramos a ella. Teníamos que escribir algo.

Sentados frente a frente garabateábamos en los papeles en blanco como dos solteros que hacen solitarios para pasar las interminables noches de invierno. ¡Yo nos encontraba francamente ridículos! Pero cuando, ya de mañana, el Maestro me leyó lo que había escrito diciendo que era un sueño, él me pareció más ridículo que yo. Tratando de imitar mis sueños, él también había escrito uno, pero era un sueño inventado, ya que en cada mínimo detalle se notaba que nunca lo había tenido: ¡éramos hermanos! Él había asumido el papel de hermano mayor y yo escuchaba como un niño bueno sus sabias palabras. Al día siguiente, mientras desayunábamos, me preguntó qué pensaba con respecto al rumor que había surgido en el barrio sobre que éramos hermanos gemelos. Me gustó la pregunta, pero no me halagó demasiado la vanidad; no dije nada. Dos días después me despertó a medianoche diciendo que realmente había tenido aquel sueño que había escrito. Quizá fuera cierto, pero no le hice caso. La noche siguiente me dijo que tenía miedo a morir de la peste.

Como me aburría estar encerrado en casa, aquella tarde salí a la calle: en un jardín unos niños habían trepado a los árboles dejando abajo sus zapatos multicolores; las charlatanas mujeres que esperaban su turno en la fuente ya no guardaban silencio al pasar yo; los mercados estaban llenos de compradores; había quienes contemplaban complacidos a unos que se estaban peleando y a quienes los separaban. Yo intentaba convencerme de que la epidemia estaba perdiendo virulencia pero me descompuso los nervios ver los ataúdes que salían uno tras otro del patio de la mezquita de Beyazıt y regresé a toda prisa a casa. El Maestro me llamó cuando entraba en mi habitación: «Ven a ver esto». Se había desabrochado la camisa y se señalaba una pequeña hinchazón por debajo del ombligo, una mancha roja. «Hay bichos por todas partes.» Me acerqué y la observé cuidadosamente, era una manchita roja, una ligera hinchazón, como la picadura de un insecto de buen tamaño, pero ¿por qué me la mostraba? Me dio miedo acercar más la cara. «Una picadura de insecto —me dijo el Maestro—. Es eso, ¿no? —Se tocó con la yema del dedo la hinchazón—. ¿O es de pulga?» Guardé silencio, no le comenté que nunca había visto una picadura de pulga parecida.

Busqué una excusa y salí al jardín hasta que se puso el sol. Sentía que no debía permanecer en el interior de la casa pero no se me ocurría ningún otro sitio adonde ir. Y además la mancha realmente parecía la picadura de un insecto, no era tan grande ni estaba tan extendida como una buba de peste; pero luego se me vino otra idea a la cabeza: tal vez fuera porque estaba paseando por el jardín, donde con tanta rapidez crecía la hierba, pero pensaba que en un par de días el enrojecimiento se hincharía y estallaría abriéndose como una flor y el Maestro moriría entre horribles dolores; la verdad es que probablemente se tratara de la picadura de uno de esos enormes insectos nocturnos de los países cálidos, pero no recordaba en absoluto el nombre del fantasmagórico bicho.

El Maestro intentó parecer alegre cuando nos sentamos a cenar, hizo bromas y charló conmigo, pero aquello no duró demasiado. Mucho después de que nos levantáramos de la mesa tras una cena silenciosa y que cayera una oscuridad tranquila y sin viento, el Maestro dijo: «Me aburro. Me siento melancólico. Vamos a la mesa a escribir algo». Solo así podía entretenerse.

Pero no fue capaz de escribir nada. Mientras yo lo hacía con toda tranquilidad de ánimo, él permanecía sentado sin escribir nada mirándome de reojo. «¿Qué escribes?» Había descrito mi impaciencia mientras regresaba a casa en un coche de un solo caballo cuando llegaron las vacaciones tras estudiar el primer año en la escuela de ingeniería y se lo leí. No obstante, me había gustado mucho la escuela y apreciaba a mis compañeros; le leí también cómo pensaba en ellos y les echaba de menos mientras leía junto a un arroyo los libros que me había llevado conmigo para las vacaciones. Tras un breve instante de silencio, el Maestro me preguntó de repente, susurrando como si me confiara un secreto: «¿Siempre son tan felices allí?». Creía que se arrepentiría en cuanto lo preguntó, pero seguía mirándome con una curiosidad infantil. Le respondí susurrando también: «¡Yo sí era feliz!». En su rostro pudo apreciarse una ligera envidia, pero que no asustaba. Muy tímidamente me contó lo siguiente:

Cuando tenía doce años y todavía vivían en Edirne, durante cierto tiempo estuvo yendo con su madre y su hermana al hospital de la mezquita de Beyazıt porque su abuelo materno estaba allí enfermo del estómago. Por la mañana su madre dejaba con unos vecinos a su otro hermano, que aún no andaba, recogía al Maestro, a su hermana y el plato de dulce de leche que había preparado con antelación y se ponían todos juntos en camino, recorriendo un breve pero ameno sendero sombreado por álamos. Su abuelo les contaba cuentos. Al Maestro le gustaban, pero como el hospital le gustaba más todavía, se escapaba e iba a observar todo lo que había por allí. Una vez escuchó la música que tocaban para los enfermos mentales bajo una enorme cúpula iluminada por una linterna; también podía oírse agua, el sonido de agua corriendo; luego paseaba por otras habitaciones en las que había extraños y multicolores frascos y retortas que brillaban relucientes; en otra ocasión se perdió y se echó a llorar, y le llevaron por todo el hospital, habitación por habitación, hasta encontrar la de Abdullah Efendi; su madre a veces lloraba y a veces escuchaba los cuentos del abuelo junto con su hija. Después recogían el plato vacío que les devolvía el abuelo y tomaban el camino de regreso, pero, antes de llegar a casa, su madre les compraba turrón y les decía: «Vamos a comérnoslo sin que nadie nos vea». Habían encontrado un lugar entre los álamos a la orilla de un arroyo, los tres se sentaban metiendo los pies en el agua y se comían el dulce sin que nadie los viera.

Cuando el Maestro terminó de hablar se produjo un silencio que nos unía con una extraña sensación de hermandad al tiempo que nos incomodaba. El Maestro soportó un rato aquella tensión. Luego, después de que la tosca puerta de una casa de las cercanías se cerrara con gran estruendo y sin la menor consideración, me lo confesó: fue entonces cuando por primera vez sintió interés por la ciencia a causa de los enfermos y de aquellos frascos y retortas multicolores y balanzas que les proporcionaban curación. Pero cuando murió su abuelo no volvieron por allí. El Maestro siempre soñaba con crecer e ir él solo, pero un año se desbordó el Tunca, tuvieron que sacar a los enfermos de sus camas, el agua sucia y turbia que llenó las habitaciones del hospital tardó días en retirarse y, después de que lo hiciera, el hermoso hospital quedó sepultado bajo un maldito y apestoso fango que no se pudo limpiar en años.

Cuando el Maestro volvió a callar ya no estábamos tan unidos. Se había levantado de la mesa, podía ver de reojo su sombra paseando por la habitación; luego cogió la lámpara que había en medio de la mesa y se puso a mis espaldas, no podía verle a él ni su sombra; quería darme la vuelta para mirarle pero no me atrevía, como si me esperara alguna maldad por su parte. Poco después me volví temeroso al oír el susurro de su ropa al quitársela. Estaba desnudo de cintura para arriba, se había plantado ante el espejo y se estudiaba cuidadosamente el pecho y el vientre, en los que se reflejaba la luz de la lámpara. «Dios mío —dijo—. ¿Qué divieso es este?» Yo guardé silencio. «Ven a mirar esto.» Yo era incapaz de moverme de mi asiento, así que gritó: «¡Que vengas te digo!». Me acerqué a él temeroso como un estudiante que sabe que va a ser castigado.

Nunca había estado tan cerca de su cuerpo desnudo; no me gustaba tanta proximidad. Al principio quise creer que era por eso por lo que era incapaz de acercarme, pero sabía que me daba miedo el divieso. Él también lo comprendió. Sin embargo, para que no se diera cuenta, yo acercaba la cabeza, clavaba la mirada con actitud de médico en aquella hinchazón, aquel enrojecimiento, y murmuraba algo. «Tienes miedo, ¿no?», me dijo por fin el Maestro. Acerqué aún más la cabeza para demostrarle lo contrario. «Te da miedo que sea un bubón de la peste.» Ignoré aquella palabra y me disponía a decir que era una picadura de insecto, debía de ser algún extraño insecto que también a mí me hubiera picado alguna vez en alguna parte, pero seguía sin venírseme a la mente el nombre de la criatura. «¡Toca! —me dijo el Maestro—. ¿Cómo vas a reconocerlo sin tocar? ¡Tócame!»

Se animó al ver que yo no le tocaba. Me acercó a la cara los dedos que se había pasado por la hinchazón. Al ver que me sobrecogía con asco lanzó una carcajada y se burló de mí porque me asustaba una simple picadura de insecto, pero no le duró demasiado la alegría. «Tengo miedo a la muerte», dijo de repente. Era como si estuviera hablando de otra cosa, sentía más rabia que vergüenza; la rabia de alguien víctima de una injusticia. «¿Tú no tienes ningún divieso de estos? ¿Estás seguro? ¡Quítate la ropa!» Como insistió, acabé por quitarme la camisa como el niño que odia lavarse. Hacía calor en la habitación y la ventana estaba cerrada, pero de algún sitio me vino una brisa fresca; no sé, quizá lo que me ponía la piel de gallina fuera la frialdad del espejo. Como me avergonzaba mi aspecto, di un paso hasta salir fuera del marco. Ahora podía ver en el espejo de perfil la cara del Maestro acercándose a mi cuerpo; aquella enorme cabeza que todo el mundo decía que se parecía a la mía se inclinó hacia mí. Para emponzoñar mi alma, pensé de repente; en cambio, yo llevaba años enorgulleciéndome de hacer exactamente lo contrario con él, de estar enseñándole. Era ridículo que se me pasara por la cabeza siquiera, ¡pero incluso pensé por un momento que aquella cabeza barbuda tan ávida a la luz de la lámpara se disponía a chuparme la sangre! Al parecer, me habían afectado mucho aquellas historias de miedo que había escuchado de niño. Mientras pensaba en todo aquello, sentí sus dedos en mi vientre; quería huir, quería golpearle con algo en la cabeza. «No, no tienes», dijo. Se colocó a mi espalda y me exploró también las axilas, el cuello y la parte de atrás de las orejas. «Aquí tampoco, a ti no te ha picado el insecto.»

Se puso a mi lado pasándome la mano por el hombro. Como si fuera un amigo de la infancia con el que estuviera compartiendo mis secretos. Me apretó la nuca con dos dedos y me atrajo hacia sí. «Ven, pongámonos ante el espejo.» Miré, y a la cruda desnuda luz de la lámpara otra vez pude ver cuánto nos parecíamos. Recordé que me había poseído la misma sensación la primera que lo vi, mientras esperaba ante la puerta de Sadık Bajá. Entonces había visto a alguien que era como yo debía ser; en cambio, ahora pensaba que era él quien debía ser como yo. ¡Ambos éramos uno! En ese momento me pareció una realidad evidente. Me quedé paralizado, como si estuviera atado de pies y manos. Hice un gesto para huir de aquella sensación, como queriendo comprender que yo era yo: me pasé rápidamente la mano por el pelo. Pero él hacía lo mismo, y además con una gran maestría, sin romper la simetría de lo que se reflejaba en el espejo. Imitaba también mi mirada y la postura de mi cabeza, de forma que repetía mi terror, que yo no podía soportar ver en el espejo pero del que al mismo tiempo era incapaz de apartar la mirada de pura curiosidad: luego se puso tan contento como un niño que incordia a un amigo remedando sus palabras y sus gestos. ¡Gritó que íbamos a morir a la vez! Qué tontería, pensé. Pero también tuve miedo. Fue la más terrible de las noches que pasé junto a él.

Luego continuó diciendo que había tenido miedo de la peste desde que se declaró la epidemia, que todo lo había hecho para ponerme a prueba, como cuando los verdugos de Sadık Bajá me llevaron para matarme o cuando la gente decía cuánto nos parecíamos. Después añadió que se había apoderado de mi alma de la misma forma en que poco antes imitaba mis movimientos, ¡ahora él sabía lo que yo pensaba y pensaba lo que yo sabía! Entonces me preguntó en qué estaba pensando en ese instante y, aunque él ocupaba por completo mi mente, le respondí que no estaba pensando en nada, pero no me escuchaba porque en realidad solo hablaba para asustarme, para jugar con su propio miedo, para que yo lo compartiera. Yo intuía que según iba sintiendo más claramente su soledad, más le atraía el mal; pensaba que quería cometer alguna maldad mientras me pasaba los dedos por la cara, mientras quería aterrorizarme con el hechizo de nuestro extraño parecido y se alteraba y agitaba incluso más que yo. Y me mantenía ante el espejo presionándome la nuca porque no se decidía a ser malvado de una vez por todas, o eso me decía yo aunque en realidad no me parecía tan absurdo ni tan impotente: tenía razón, yo quería hacer y decir lo que él hacía y decía, le envidiaba porque había sido más rápido que yo en jugar con el temor a la peste y a lo que reflejaba el espejo.

Pero, a pesar de mi miedo y de que creía intuir cosas sobre mí que nunca antes había pensado, no pude desprenderme de la sensación de que todo aquello era un juego. Relajó los dedos que me apretaban la nuca, pero yo no me aparté del espejo. «Ahora soy como tú —dijo luego el Maestro—. Sé cómo es tu miedo. ¡Me he convertido en ti!» Entendí lo que decía aunque intenté considerar absurda e infantil esa profecía, la mitad de la cual hoy no me queda la menor duda de que era cierta. Continuó explicándome que podía ver el mundo como yo; por fin comprendía cómo «ellos», volvía a decir «ellos», pensaban y sentían. Apartó la mirada del espejo, la deslizó hacia la mesa, los vasos, las sillas y los objetos en penumbra que apenas iluminaba la lámpara y habló un rato más. Luego afirmó que ahora era capaz de nombrar cosas que antes no podía porque no las veía, pero yo pensaba que se equivocaba: las palabras eran las mismas, así como los objetos. Lo único nuevo era su miedo, y ni siquiera eso, sino la forma de vivirlo; aunque entonces pensaba que aquella forma de vivir el miedo, sobre la cual no soy capaz de escribir abiertamente incluso ahora, solo era una actitud que adoptaba ante el espejo, un nuevo juego. De mala gana, dejó de lado también aquel juego y volvió a concentrar sus pensamientos en el divieso enrojecido y a preguntarse si sería una picadura de un insecto o la peste.

En cierto momento dijo que le gustaría continuar con todo a partir del instante en que yo lo había dejado. Seguíamos medio desnudos y aún no nos habíamos apartado del espejo. Ocuparía mi lugar y yo el suyo, y para eso bastaba con que nos cambiáramos la ropa, él se afeitara la barba y yo me la dejara crecer. Aquella idea hizo más terrible nuestro parecido en el espejo, le escuché con los nervios en tensión. Me explicó alegre que entonces yo le manumitiría, así como todo lo que haría al regresar a mi país en mi lugar. Recordaba perfectamente, hasta el más mínimo detalle, todo lo que yo le había contado sobre mi infancia y mi juventud y me sorprendió ver cómo se había forjado un extraño e irreal país de ensueño a su propia hechura a partir de dichos detalles. Era como si hubiera perdido el control de mi propia vida, él la condujera por otros rumbos y yo no pudiera hacer nada aparte de contemplar de lejos, como si estuviera soñando, a mí mismo y todo lo que me ocurría. No obstante, en aquella idea suya del viaje de regreso a mi país que haría ocupando mi lugar y de la vida que llevaría allí subyacía un sentimiento de extrañeza y de inocencia tan ridículos que me impedían acabar de creérmelo del todo. No obstante, por otro lado me sorprendía también la coherencia de aquellos detalles de ensueño: me habría apetecido reconocer que aquello era posible, que podría haberlo vivido. Entonces comprendí que por primera vez intuía algo más profundo en relación con la vida del Maestro, aunque no me encontraba en situación de definir qué era. Simplemente, mientras le escuchaba boquiabierto contarme lo que yo haría en mi viejo mundo, que tantos años llevaba recordando con nostalgia, olvidé mi miedo a la peste.

Pero aquello no duró demasiado. El Maestro quiso que ahora yo le contara lo que haría cuando estuviera en su lugar. Me encontraba tan nervioso de estar paralizado en aquella extraña postura mientras intentaba convencerme de que no nos parecíamos y de que el divieso era una picadura de insecto, que no se me ocurrió nada. Como insistía, recordé que en cierto momento había acariciado la idea de escribir mis memorias cuando regresara a mi país y se lo confesé: pero en cuanto le comenté que quizá algún día pudiera escribir un buen relato con todo lo que le había ocurrido, me miró con repugnancia. ¡Yo no le conocía tan bien como él me conocía a mí, en absoluto! Me dio un empujón y se quedó solo ante el espejo: ¡él me diría lo que habría de ocurrirme en cuanto ocupara mi lugar! Primero dijo que el divieso era un bubón de la peste: yo moriría. Luego describió cómo me retorcería de dolor en mi agonía; el miedo, para el que no estaría preparado porque hasta ese momento no había sido capaz de percibirlo, sería peor que la muerte. Mientras contaba cómo lucharía con los dolores de la enfermedad se apartó del espejo; cuando quise mirarle poco después se había echado en el revuelto lecho dispuesto en el suelo y seguía describiendo los dolores que sufriría. Se había colocado la mano sobre el vientre, como si la tuviera justo sobre el dolor del que hablaba, pensé. En ese preciso instante me llamó, me acerqué a él temeroso y enseguida me arrepentí de haberle hecho caso; volvió a intentar tocarme. Por alguna extraña razón, yo ya estaba convencido de que aquello era solo la picadura de un insecto, pero seguía dándome miedo.

Así se pasó la noche entera. Al mismo tiempo que intentaba contagiarme la enfermedad y su miedo, no dejaba de repetir que yo era él y él era yo. Pensé que lo hacía porque disfrutaba alejándose de sí mismo y observándose desde fuera y me repetía como alguien que quiere despertar de un sueño: está jugando; porque él mismo empleaba la palabra «juego», pero, por otro lado, sudaba copiosamente, y no como alguien a quien ahoga el temor que le provocan sus propias asfixiantes palabras en una habitación calurosa, sino como un enfermo lisiado.

Al salir el sol hablaba de las estrellas y la muerte, de profecías inventadas, de la estupidez del sultán y, peor aún, de su ingratitud, de sus queridos estúpidos, de «ellos» y «nosotros», ¡de que quería ser otro distinto! Yo ya no le escuchaba y salí al jardín. Por alguna extraña razón se me vinieron a la cabeza unas ideas sobre la inmortalidad que había leído en un viejo libro. Allí fuera no había otro movimiento que el de los gorriones que cantaban y saltaban de rama en rama entre los tilos. ¡Una sorprendente tranquilidad! Pensé en otras habitaciones donde yacían moribundos apestados en Estambul. Si lo del Maestro realmente era peste, seguiría así hasta que muriera y, si no lo era, hasta que desapareciera la hinchazón, pensé. Me di cuenta de que no podría permanecer mucho más en aquella casa. Al entrar en ella todavía no había pensado adónde podría huir ni en qué sitio podría ocultarme. Soñaba con un lugar lejos del Maestro y de la peste. Mientras embutía en una bolsa algo de ropa, solo sabía que dicho lugar debía estar lo suficientemente cerca como para poder llegar a él sin ser atrapado, eso era todo.

7

Tenía algún dinero ahorrado de lo que le había ido sisando al Maestro cuando podía y de lo que había ganado trabajando aquí y allá. Antes de salir de la casa lo saqué de donde lo tenía escondido, de un calcetín en el baúl en que estaban todos mis libros, que ya no leía. Luego, embargado por la curiosidad, fui a la habitación del Maestro; la lámpara seguía encendida y él se había quedado dormido bañado en sudor. Me sorprendió la pequeñez del espejo que me había asustado durante toda la noche con aquel mágico parecido en el que nunca había podido creer del todo. Salí de la casa a toda prisa sin tocar nada. Mientras caminaba por las calles desiertas del barrio, se levantó una ligera brisa, me apeteció lavarme las manos, sabía adónde iba y estaba feliz. Me agradaba caminar por las calles en el silencio de la madrugada, bajar por las cuestas que daban directamente al mar, lavarme las manos en cualquier fuente, contemplar el Cuerno de Oro.

La primera vez que oí hablar de la isla de Heybeli fue a un joven sacerdote que había venido a Estambul procedente de allí; me describió entusiasmado la belleza de las islas cuando nos vimos en Gálata. Y debía habérseme quedado en la memoria, porque al salir del barrio sabía que era allí adónde me dirigía. Los barqueros y pescadores con los que hablé me pidieron terribles sumas de dinero para llevarme a la isla y me hundí moralmente, pensé que se habían dado cuenta de que era un fugado y que le revelarían mi paradero a los hombres que el Maestro enviaría en mi persecución. Luego decidí que era una forma de intimidar a los cristianos, a quienes despreciaban porque temían la peste. Para no atraer demasiado la atención, llegué a un acuerdo con el segundo barquero con el que hablé. No era un hombre vigoroso, y en lugar de remar como debía me enumeraba de qué pecados era castigo la enfermedad. Añadió que no me serviría de nada refugiarme en la isla para huir de la epidemia. Mientras hablaba pude darme cuenta de que tenía tanto miedo como yo. El viaje duró seis horas.

Solo mucho más tarde pude llegar a la conclusión de que los días que pasé en la isla fueron felices. Me alojaba por poco dinero en la casa de un pescador rumí e intentaba que no se me viera demasiado porque seguía sintiéndome inseguro. A veces pensaba que el Maestro habría muerto y a veces en los hombres que lanzaría en mi persecución. En las islas había muchos otros cristianos que, como yo, huían de la peste, pero no me apetecía hablar con ellos.

Por la mañana me hacía a la mar con el pescador y volvíamos ya de noche. Durante cierto tiempo me aficioné a pescar langostas y nécoras con arpón. Si hacía tan mal tiempo como para no salir a pescar, paseaba por el perímetro de la isla hasta llegar al huerto del monasterio, donde a veces me quedaba apaciblemente dormido bajo las enredaderas. Había también un emparrado que se apoyaba en una higuera desde el que en los días claros podía verse hasta Santa Sofía; allí me sentaba y me quedaba horas soñando despierto mientras contemplaba Estambul. En cierta ocasión soñé que navegaba hacia la isla y que el Maestro también se dirigía hacia allí y que su barca era escoltada por delfines y que él era amigo de ellos y les preguntaba por mí, así que, por lo tanto, me perseguía; en otra ocasión mi madre iba con ellos y me regañaban preguntándome por qué había llegado tarde. Cuando me despertaba sudoroso con el sol en la cara, pretendía regresar a aquellos sueños y, como no podía, me esforzaba en pensar: a veces en que el Maestro había muerto, en el cadáver en la casa desierta que yo había abandonado, en los que irían a levantar el muerto, en el silencio del solitario funeral; luego pensaba en sus profecías, en todas aquellas cosas divertidas que se había inventado feliz, y en las que se había inventado con odio y rabia; en el sultán y en sus animales; en las langostas y nécoras en cuyos lomos había clavado el arpón para sacárselo luego por el vientre y que acompañaban moviendo lentamente sus pinzas aquellos sueños diurnos.

Poco a poco intentaba convencerme de que podría escapar a mi país. Para ello me bastaba con robar el dinero suficiente de las casas de la isla, cuyas puertas y ventanas dejaban abiertas sus habitantes; pero antes tenía que olvidar al Maestro. Porque de repente me dejaba arrastrar por el embrujo de todo lo que me había ocurrido y por la atracción de los recuerdos: casi me culpaba de haber abandonado a la muerte a un hombre que se me parecía tanto. Le echaba de menos apasionadamente, como ahora. ¿Se me parecía tanto como creía recordar o me engañaba a mí mismo? Luego decidía que en aquellos diez años no le había mirado a la cara a placer ni siquiera una vez, pero la verdad era que lo había hecho a menudo. A veces hasta me apetecía acercarme a Estambul para echar una última mirada a su cadáver. Decidí que si quería ser libre debía convencerme de que nuestro parecido era un recuerdo erróneamente evocado, una ilusión desagradable que tenía que olvidar, y que debía acostumbrarme a esa idea.

Por suerte no me acostumbré, ¡porque un buen día me encontré de repente con el Maestro! Estaba tumbado en el jardín de atrás de la casa del pescador fantaseando con los ojos cerrados vueltos al sol y sentí su sombra, estaba frente a mí y sonreía, pero no como alguien que ha ganado el juego, sino porque me apreciaba. Sentí una extraordinaria seguridad, tanta que llegó a asustarme. Quizá en secreto hubiera estado esperándolo, porque enseguida me envolvió la sensación de culpabilidad del esclavo perezoso, del criado que se somete. Mientras preparaba mi hatillo me despreciaba a mí mismo en lugar de odiar al Maestro. Fue él quien le pagó al pescador lo que le debía. Había traído a un par de hombres consigo y había venido en una barca de dos bancos de remos, así que regresamos rápido. Antes de que oscureciera ya estábamos en casa, había echado de menos su olor. El Maestro había quitado el espejo de la pared.

Al día siguiente el Maestro se me plantó delante y me dijo lo siguiente: mi delito era muy grave y estaba deseando poder castigarme no solo por haberme escapado, sino también por haberle abandonado en su lecho de muerte creyendo que la picadura de un insecto era una buba de la peste, pero ahora no era el mejor momento. Me explicó el motivo: por fin, hacía una semana, el sultán le había mandado llamar para preguntarle cuándo se acabaría la epidemia, cuántas almas más se llevaría y si su propia vida estaba en peligro. El Maestro, muy nervioso, le respondió con evasivas porque no estaba preparado y le pidió tiempo con el pretexto de que debía trabajar en lo que decían las estrellas. Volvió a casa loco de contento, aunque incapaz de adivinar cómo podría manipular la curiosidad del sultán. Por eso había decidido traerme de vuelta.

Sabía desde hacía mucho que yo estaba en la isla; después de mi huida sufrió un fuerte resfriado, pero tres días más tarde ya me estaba siguiendo las huellas. Encontró mi rastro donde los pescadores y el chismoso del barquero le explicó que me había llevado a la isla de Heybeli en cuanto el Maestro abrió un poco la bolsa. Como el Maestro sabía que de allí no podría huir a ningún otro sitio, no se molestó en perseguirme. Cuando me dijo que este último contacto que había establecido con el sultán era la oportunidad más importante que se le había presentado en la vida, le di toda la razón. También me confesó abiertamente que tenía necesidad de mis conocimientos.

Nos pusimos a trabajar de inmediato. El Maestro se comportaba con la decisión de quien sabe lo que quiere; me gustaba aquel sentimiento de determinación, que antes tan pocas veces había podido ver en él. Decidimos ganar tiempo sabiendo que al día siguiente volverían a llamarle. El principio básico en el que nos pusimos de acuerdo enseguida fue que no aportaríamos demasiada información, pero que confirmaríamos de inmediato la que diéramos. Esa agudeza mental que tanto me gustaba le llevó rápidamente a la siguiente conclusión: «Las profecías son una payasada, pero se pueden usar perfectamente para influir en los estúpidos». Mientras escuchaba lo que yo le decía, el Maestro parecía estar de acuerdo en que la peste era una catástrofe que solo podría remitir mediante medidas sanitarias. Como yo, él tampoco negaba la intervención divina en el desastre, pero era una intervención indirecta; precisamente por eso los mortales podíamos ponernos manos a la obra y enfrentarnos a la epidemia y nuestra actuación no insultaría el orgullo divino. ¿Acaso el califa Omar no había ordenado a Abu Ubayd que volviera de Siria a Medina para proteger a su ejército de la peste? El Maestro, para proteger al sultán, le pediría que redujera al mínimo su contacto con los demás. Se nos pasó por la cabeza meterle en el corazón el miedo a la muerte, pero aquello era peligroso: el sultán nunca estaba lo bastante solo como para poder asustarle con una descripción poética de la muerte, y aunque le afectara la palabrería del Maestro tenía a su alrededor un círculo de cretinos que le ayudarían a vencerlo y luego esos mismos caraduras imbéciles podían acusar de impiedad al Maestro en cualquier momento. Por esa razón, nos inventamos una historia basándonos en mis conocimientos literarios.

Lo que más le aterrorizaba al Maestro era tener que predecir cuándo terminaría la peste. Yo opinaba que debíamos trabajar sobre el número diario de muertos, pero cuando se lo comenté no le impresionó demasiado: para conseguir las cifras le pediría ayuda al sultán, pero enmascararía la petición con otra historia. No es que yo tenga tanta fe en las matemáticas, pero estábamos atados de pies y manos.

Al día siguiente él fue a palacio y yo me sumergí en la ciudad y la peste. Seguía teniendo miedo a la enfermedad, como antes, pero me embriagaban la violencia del movimiento y la vida y el deseo de dominar el mundo, aunque solo fuera un poco. Era un día fresco de verano, con viento; mientras paseaba por entre los agonizantes y los cadáveres pensé que hacía años que no amaba tanto la vida. Entraba en los patios de las mezquitas, apuntaba en un papel el número de ataúdes y luego intentaba establecer una relación entre el número de muertos y lo que había observado paseando por el barrio: no era fácil encontrar un significado en las casas, la gente, la multitud, la alegría y la pena y la dicha. Además, con un extraño apetito, mi mirada se quedaba clavada solo en los detalles, en las vidas de otros, en la felicidad, la desesperación y la despreocupación de quienes vivían con sus parientes y sus seres queridos en una misma casa.

Poco antes de mediodía, sumido en la embriaguez de la multitud y los muertos, pasé a la otra orilla, a Gálata, anduve por los cafés de los trabajadores de los astilleros, fumé aspirando el humo con todas mis fuerzas, comí en un refectorio de beneficencia por pura pasión de comprender y entré en mercados y tiendas. Quería grabarlo todo en mi mente de manera que pudiera extraer alguna conclusión. Esa tarde, después de oscurecer, regresé agotado a casa y escuché lo que me contó el Maestro, que había regresado de palacio.

Todo había ido bien. La historia que nos habíamos inventado había conmovido al sultán. Se había convencido de que la peste, como el diablo, podía querer engañarle disfrazándose de ser humano; decidió no aceptar a cualquier extraño en palacio y someter a una estricta vigilancia las entradas y salidas. Cuando le preguntó sobre cuándo y cómo terminaría la peste, el Maestro echó mano de tales argumentos retóricos que el sultán llegó a decir asustado que podía imaginarse a Azrael paseando ebrio por la ciudad, tomando de la mano a cualquiera que le llamara la atención y llevándoselo consigo. No era Azrael, le corrigió inquieto el Maestro, quien escogía a la gente que había de morir. Y no estaba ebrio, sino que era muy astuto. El Maestro, tal y como habíamos planeado, le señaló la necesidad de luchar contra el diablo. Para saber cuándo la peste abandonaría la ciudad había que ver por dónde deambulaba. Por mucho que entre los de su entorno hubiera quien opinaba que luchar contra la peste era ir en contra de la voluntad de Dios, el sultán no les hizo caso; luego preguntó por sus animales: ¿el diablo de la peste podía alcanzar a sus halcones, sus azores, sus leones y sus monos? El Maestro le respondió de inmediato que el diablo, de la misma manera que a los hombres se les aparecía disfrazado de humano, a los animales se les aparecía en forma de ratón. El sultán ordenó que de una ciudad lejana que no hubiera sido afectada por la peste se trajeran quinientos gatos y que al Maestro se le facilitaran tantos hombres como pidiera.

Distribuimos de inmediato por los cuatro costados de Estambul a los doce hombres que pusieron a nuestras órdenes, que pasaban barrio por barrio informándonos de lo que veían y del número de muertos. Sobre la mesa extendimos un burdo plano de Estambul que yo había dibujado sacándolo de algunos libros y que luego había corregido. Por las noches señalábamos en el mapa, entre asustados y complacidos, los lugares por los que erraba la peste y planeábamos lo que debíamos decirle al sultán.

Al principio no éramos demasiado optimistas. La peste vagaba por la ciudad no como un diablo astuto, sino como un merodeador sin rumbo. Un día se llevaba cuarenta vidas de Aksaray, luego dejaba aquello tranquilo y otro día se pasaba por Fatih, de repente comprendíamos que andaba por la otra orilla, por Tophane y Cihangir, y al día siguiente veíamos que se había quedado poco por allí, que se había marchado a Zeyrek y se había introducido en nuestro barrio, que daba al Cuerno de Oro, y había matado a veinte personas de un golpe. Tampoco podíamos extraer ninguna conclusión del número de muertes; un día morían quinientas personas y al día siguiente, cien. Cuando comprendimos que no debíamos fijarnos en dónde la epidemia mataba a las víctimas sino en dónde las había contaminado, ya era demasiado tarde y el sultán había vuelto a llamar al Maestro. Tras mucho meditar y discutir, por fin decidimos que el Maestro debía decirle al sultán que la peste andaba por los mercados atestados, por los bazares donde la gente se engañaban unos a otros, por los cafés en los que los clientes se sentaban para cotillear unos casi encima de otros. Se fue y volvió por la tarde.

Me contó que el sultán le había dicho: «¿Qué podemos hacer?». El Maestro le había respondido que había que restringir que se celebraran mercados, así como las idas y venidas por la ciudad, a bastonazos si era necesario. Por supuesto los sabihondos del séquito del sultán se opusieron de inmediato a la idea; cómo se alimentaría la ciudad, si se detenía el comercio también se detenía la vida, si se extendía la noticia de que la peste paseaba disfrazada de persona todos echarían a correr como caballos desbocados presas del pánico creyendo que había llegado el Día del Juicio, y, además, nadie querría quedarse aprisionado en un barrio por el que circulaba el diablo de la peste y estallarían revueltas. Tenían razón, dijo el Maestro. En ese momento, cuando un cretino preguntó dónde encontrarían al hombre capaz de contener de aquella manera al pueblo, el sultán se irritó y les metió a todos el miedo en el cuerpo diciendo que castigaría a quienquiera que dudara de su poder. Aún enfadado, ordenó que se pusiera en práctica lo que el Maestro había propuesto, aunque no olvidó consultar a su séquito. Como Sıtkı Efendi, el gran astrólogo, le tenía ganas al Maestro, le recordó al sultán que todavía no había contestado cuándo abandonaría la peste Estambul. Temiendo que el sultán le diera la razón, el Maestro dijo que en su próxima visita llevaría consigo un calendario con las fechas exactas.

Habíamos llenado de marcas y números el mapa de la mesa, pero seguíamos siendo incapaces de comprender la lógica de los vagabundeos de la peste por la ciudad. Mientras tanto, el sultán puso en práctica la prohibición, que duró más de tres días. Los jenízaros bloquearon las entradas a los mercados, las calles principales y los muelles de las barcas, y a todo el que pretendía pasar lo retenían y lo interrogaban: «¿Quién eres? ¿Adónde vas? ¿Por qué vas allí?». Enviaban de vuelta a sus casas a los asustados y sorprendidos viajeros y a los paseantes sin oficio ni beneficio para que la peste no les engañara. Cuando confirmamos que el ritmo de la vida se había refrenado en el Gran Bazar y en Unkapanı, anotamos en un papel las cifras de muertes que habíamos logrado reunir en el último mes, lo colgamos de la pared y meditamos al respecto. Según el Maestro, esperábamos en vano que la epidemia se comportara siguiendo un patrón lógico y teníamos que inventarnos cualquier cosa para complacer al sultán y salvar el cuello.

Por aquel entonces apareció el sistema de salvoconductos. El agá de los jenízaros distribuía documentos a quienes consideraba necesarios para que el comercio no se paralizara y la ciudad pudiera proveerse de alimentos. Para cuando nos enteramos de que estaba ganando mucho dinero con aquello y de que los pequeños comerciantes, que no estaban dispuestos a someterse a semejante chantaje, se disponían a provocar un levantamiento, yo empezaba a intuir por primera vez una cierta lógica en las cifras de muertes. Se lo dije al Maestro mientras él me contaba que el gran visir Köprülü se había puesto de parte de los comerciantes y la conspiración que andaban urdiendo, e intenté convencerle de que la peste se estaba retirando lentamente de los suburbios, de los barrios pobres.

Mis explicaciones no le resultaron demasiado convincentes, pero, no obstante, me dejó a mí la preparación del calendario. Me dijo que, para distraer la atención del sultán, había escrito una historia sin sentido alguno y de la que nadie que la leyera podría extraer una conclusión. En otro momento me preguntó: ¿podía uno inventarse una historia sin significado y de la que no se obtuviera otro resultado que el placer de leerla o escucharla? «¿Como la música?», le contesté para su sorpresa. Luego pensamos que un buen relato debe tener un comienzo infantil como un cuento, un desarrollo terrorífico como una pesadilla y un final amargo como una historia de amor que terminara en separación. La noche anterior a que fuera a palacio estábamos sentados charlando alegres y trabajando nerviosos. En la habitación de al lado estaba nuestro amigo el calígrafo zurdo pasando a limpio el principio de la historia del Maestro, que este aún no había terminado. Poco antes de amanecer, con las limitadas cifras que tenía a mi disposición y gracias a las ecuaciones que llevaba días intentando plantear, llegué a la conclusión de que las últimas víctimas de la peste aparecerían en los mercados y de que la epidemia abandonaría la ciudad en un plazo de veinte días. El Maestro no me preguntó en qué me basaba para extraer semejante conclusión y se limitó a decirme que el día de la salvación estaba demasiado lejos, que preparara el calendario como si la enfermedad fuera a prolongarse solo dos semanas y que enmascarara la duración de la peste con otras cifras. Yo no era tan optimista como él, pero hice lo que me pedía. Allí mismo el Maestro le añadió unos versos a ciertas fechas y puso el calendario en manos del calígrafo, que estaba terminando su trabajo; a mí me pidió que ilustrara con dibujos algunos de los versos. Cuando poco antes del mediodía se marchó llevándose el opúsculo, que había mandado encuadernar a toda prisa con unas tapas azules y papel de aguas, estaba de mal genio, agobiado, tenía miedo. Me dijo que, más que en el calendario, confiaba en su historia, llena a rebosar de pelícanos, toros alados, hormigas rojas y monos parlanchines.

Al regresar aquella tarde estaba muy nervioso y la inquietud le duró las tres semanas que tardó en convencer al sultán de la corrección de sus profecías. Al principio decía: «Puede pasar cualquier cosa», el primer día no tenía la menor esperanza; incluso algunos de los que se habían reunido en torno al sultán se rieron mientras escuchaban la historia que el Maestro le había hecho leer a un joven de dulce voz; estaba claro, se esforzaban en humillar al Maestro para que cayera en desgracia ante el sultán, pero este les reprendió y les hizo callar; solo preguntó en qué indicios se basaba para afirmar que la peste terminaría en dos semanas. Y el Maestro le contestó que todo estaba en aquella historia que nadie había conseguido entender por completo. Luego, para demostrarle al sultán que era un hombre agradable, acarició a los gatos de todos los colores que habían sido traídos en barco desde Trabzon y que atestaban no solo los patios interiores, sino también las habitaciones.

Al regresar el segundo día me contó que la Corte se había dividido en dos: mientras una parte, entre los que se contaba el gran astrólogo Sıtkı Efendi, pedía que se levantaran todas las medidas de prevención que se habían tomado en la ciudad, los demás opinaban con el Maestro: «No dejemos respirar a la ciudad para que se asfixie el demonio de la peste que anda por ella». Yo, viendo que las cifras de muertos iban descendiendo de día en día, albergaba muchas esperanzas, pero el Maestro seguía nervioso, se decía que el primer grupo se había entendido con Köprülü y que preparaban una rebelión; su propósito no era combatir la peste sino librarse de sus enemigos.

Al final de la primera semana hubo un descenso notable en el número de muertes, pero también era cierto que de mis cálculos se concluía que la enfermedad no terminaría a la semana siguiente. Le eché en cara al Maestro que hubiera alterado mi calendario, pero ahora era él quien tenía esperanzas; me contó entusiasmado que los rumores sobre el gran visir habían cesado. Aprovechando la ocasión, también ellos difundieron la noticia de que Köprülü les apoyaba. El sultán, harto de todas aquellas maquinaciones, buscaba la paz entre sus gatos.

Cuando se cumplió la segunda semana, la ciudad se ahogaba más que por la peste por las medidas adoptadas para combatirla; cada día que pasaba moría menos gente pero eso era algo que solo sabían los que, como nosotros, estaban al tanto. Surgieron rumores de hambruna, Estambul era como una terrible ciudad abandonada; me lo contaba el Maestro porque yo no salía del barrio: tras todas aquellas ventanas y puertas cerradas podía sentirse la desesperación de la gente que luchaba con la peste esperando entre la muerte y la enfermedad que ocurriera algo. También en palacio resultaba patente aquella espera, en cuanto una taza se caía al suelo o alguien tosía con fuerza, se le ponía los pelos de punta de puro miedo a aquella caterva de sabelotodos que hablaban en susurros y esperaban la decisión que el sultán tomaría aquel día, histéricos pero también emocionados, como todas aquellas almas desesperadas que querían que pasara algo de una vez, fuera lo que fuese. El Maestro también se dejaba llevar por aquella agitación; intentaba convencer al sultán de que la peste iba retrocediendo poco a poco, de que sus profecías estaban resultando ciertas, pero no le impresionaba demasiado y al final se veía obligado a hablar de los animales.

Dos días después, gracias a un recuento hecho en las mezquitas, concluimos que la enfermedad había remitido bastante, pero la alegría del Maestro aquel viernes no se debía a eso: parte de los comerciantes, arrastrados por la desesperación, se había enfrentado a los jenízaros que tomaban las calles y algunos jenízaros, molestos por las medidas adoptadas, se habían puesto de parte de un par de necios imanes que predicaban en mezquitas de barrio y de los ociosos y vagos a los que atraía la idea del saqueo y que decían que la peste era un designio divino y que no había que interferir en ella, pero los incidentes fueron sofocados de inmediato sin que llegaran a mayores. En cuanto se consiguió el edicto correspondiente del Şeyhülislâm, se ejecutaron al punto veinte hombres, tal vez en un intento de demostrar que los sucesos habían sido más graves de lo que en realidad había ocurrido. El Maestro estaba encantado.

A la noche siguiente proclamó su victoria. En palacio ya nadie decía que se suspendieran las medidas; cuando invitaron a pasar al agá de los jenízaros, este mencionó que los rebeldes también tenían partidarios en palacio; el sultán se enfureció y el grupo que había hecho pasar tan malos días al Maestro con su hostilidad pareció disolverse en el aire. Se hablaba de que Köprülü, de quien tiempo atrás se había dicho que les apoyaba, tomaría severas medidas contra los insurrectos. El Maestro me contó complacido que él mismo había aconsejado al sultán en ese sentido. Y los que habían reprimido el levantamiento intentaban convencer al sultán de que la peste estaba retrocediendo. Además era cierto. El sultán elogió al Maestro como nunca lo había hecho antes; le llevó consigo junto a la jaula que había ordenado construir para los monos que le habían traído de África para enseñárselos. Mientras el Maestro observaba los monos asqueado por su suciedad y sus indecencias, el sultán le preguntó si sería posible enseñarles a hablar como a los loros. Luego, volviéndose hacia su séquito, dijo que a partir de ese momento le gustaría ver más a menudo al Maestro y que el calendario que había preparado había resultado correcto.

Un mes más tarde, un viernes, el Maestro se convirtió en gran astrólogo; en algo más que eso, de hecho: mientras el sultán se dirigía a Santa Sofía para la oración del viernes en acción de gracias porque la peste había pasado, a la que se unió la ciudad entera, el Maestro caminaba directamente detrás de él; se habían levantado todas las medidas de prevención y yo me encontraba también entre aquella multitud bulliciosa que daba las gracias a Dios y al sultán. Mientras el sultán pasaba ante nosotros a caballo, la gente que me rodeaba gritaba a voz en cuello, luego enloqueció, empezaron los empellones, la multitud avanzó como una ola, los jenízaros nos empujaron hacia atrás, en cierto momento me quedé atrapado entre un árbol y los que se me echaban encima y cuando logré abrirme paso a codazos mi mirada se cruzó con la del Maestro, que avanzaba muy contento unos cinco pasos más allá. Evitó mi mirada, como si no me reconociera. En medio de aquel terrible alboroto me poseyó de repente un bobo entusiasmo. En ese momento creí que el Maestro no me había visto y le llamé gritando con todas mis fuerzas, quería que se diera cuenta de mi presencia, ¡como esperando que si me veía fuera a salvarme de la multitud y yo pudiera así unirme a aquella feliz procesión de los que tenían en sus manos la victoria y el poder! Pero no quería hacerlo por arrancar unas migajas de la victoria ni para conseguir el pago a mis esfuerzos; en mi interior se agitaba un sentimiento completamente distinto: ¡debía estar allí porque yo era el mismísimo Maestro! Como me ocurría en los terribles sueños que tenía tan a menudo, me veía desde fuera y me había disociado de mí mismo; si podía verme desde fuera eso quería decir que era otro; ni siquiera quería saber quién era ese otro cuya personalidad adoptaba, solo quería unirme lo antes posible a él mientras, asustado, me veía a mí mismo pasar sin reconocerme. Pero un soldado bruto como un animal me empujó con todas sus fuerzas enterrándome de nuevo en la multitud.

8

En las semanas que siguieron a la epidemia, el Maestro no solo consiguió que le elevaran a la categoría de gran astrólogo, sino que además logró una intimidad con el sultán mucho mayor de la que habíamos esperado durante años; el gran visir, después de aquel pequeño y fracasado levantamiento, le sugirió a la madre del sultán que ya era hora de que este se deshiciera de todos aquellos bufones que se agrupaban a su alrededor, porque tanto los comerciantes como los jenízaros creían que los responsables de todos los desastres eran los sabihondos que con sus palabras vacuas habían desviado al sultán del buen camino. Así pues, los miembros del grupo del antiguo gran astrólogo Sıtkı Efendi, de quien se decía que también había tenido que ver en la conspiración, fueron expulsados de palacio, bien al destierro o bien en alguna misión oficial, y sus deberes pasaron a corresponderle al Maestro.

Ahora todos los días iba a cualquiera de los palacios en que se alojara el sultán, quien regularmente le reservaba parte de su tiempo, y hablaban. Al regresar a casa me describía su jornada con un sentimiento de emoción y victoria. Lo primero que hacía cada mañana era interpretar el sueño que el sultán hubiera tenido aquella noche. De entre todos los deberes con los que ahora debía cumplir quizá fuera este el que más le gustaba: una mañana en que el sultán le confesó entristecido que no había soñado, le ofreció interpretar el sueño de otro, y como el soberano aceptó curioso la idea, buscaron entre los hombres de la guardia a alguno que hubiera tenido un buen sueño y lo llevaron ante su presencia y así fue como se convirtió en una costumbre irrenunciable comenzar el día con la interpretación de un sueño. El resto del tiempo, mientras caminaban por los patios o por los jardines a la sombra de enormes plátanos y ciclamores, o, a veces, paseaban en barca por el Bósforo, hablaban también de los amados animales del sultán y de los nuestros, imaginarios, por supuesto. Pero también le planteaba al sultán otros temas, de los que me hablaba entusiasmado: ¿cuál era la razón de las corrientes del Bósforo? ¿Qué había en la ordenada vida de las hormigas que valiera la pena que aprendiéramos? La piedra imán, ¿conseguía su fuerza de algo además de Dios? ¿Qué importancia tenía que las estrellas girasen así o asá? ¿Podía encontrarse en las vidas de los infieles algo de valor, aparte de sus herejías? ¿Era posible construir un arma que les hiciera huir como alma que lleva el diablo? Después de decirme que el sultán había escuchado todo aquello con mucho interés, se sentaba entusiasmado a la mesa y comenzaba a esbozar en los enormes y caros papeles que tenía para tal fin bocetos de largos cañones, de mecanismos de disparo que se ponían en marcha por sí solos y de armas con aspecto de animales diabólicos; y luego me invitaba a que me sentara yo también porque quería que fuera testigo de la violencia de aquellas fantasías que, según él, tan próximas estaban a hacerse realidad.

Con todo, a mí me gustaba compartirlas con el Maestro. Quizá por eso seguía teniendo en la mente la peste, que nos había permitido vivir aquellos días de terrible hermandad. Todos habían rezado juntos en Santa Sofía dando gracias porque al fin nos habíamos librado del demonio de la epidemia, pero la enfermedad aún no había abandonado por completo la ciudad. Mientras el Maestro echaba a correr cada mañana hacia palacio, yo recorría curioso la ciudad llevando las cuentas de los funerales que todavía se celebraban en las mezquitas de barrio de achaparrados alminares y en los oratorios pobres de tejas cubiertas de musgo y, con un impulso cuyas razones apenas comprendía, deseaba que la epidemia no nos abandonara ni a nosotros ni a la ciudad.

Al mismo tiempo que el Maestro me hablaba de cómo influía sobre el sultán, de su victoria, yo le contaba que la enfermedad todavía no había abandonado la ciudad y que volvería a propagarse si se levantaban las medidas de prevención. Me hacía callar irritado y me decía que tenía celos de su triunfo. Yo le daba la razón: convertirse en gran astrólogo, que el sultán le contara cada mañana sus sueños, que le escuchara a él a pesar de tener a su alrededor a aquella multitud de necios; eran cosas que llevábamos quince años esperando, una victoria; pero ¿por qué hablaba de ellas como si la victoria fuera solo suya? Parecía que hubiera olvidado que había sido yo quien había propuesto las medidas que se debían tomar contra la peste y quien había elaborado el calendario, que aunque no hubiera resultado muy exacto había sido aceptado como tal. Lo que más me molestaba era que solo recordara cómo me había marchado a la isla en lugar de acordarse de cómo me había vuelto a traer a toda prisa y presa del nerviosismo.

Quizá tuviera razón, quizá a lo que yo sentía podía llamársele celos, pero no se daba cuenta de que era un sentimiento fraternal. Cuando, para que lo comprendiera, le recordaba cómo en los días previos a la peste nos sentábamos a ambos extremos de una misma mesa como dos solteros que quieren olvidar el aburrimiento de las noches solitarias; cómo, a veces él, a veces yo, nos dejábamos llevar por el miedo, pero cuánto habíamos aprendido de aquellos temores; e incluso cómo en las noches que había pasado a solas en la isla le había echado terriblemente de menos, escuchaba despectivo todo lo que le decía como si el ser testigo de cómo afloraba mi falsedad en una representación en la que él no participaba pudiera ofrecerle alguna lección provechosa y no me prometía nada ni me daba esperanzas de que fueran a volver aquellos días de hermandad.

Ahora podía verlo al deambular por los barrios: como si no quisiera arrojar la menor sombra de duda sobre aquello que el Maestro llamaba «su victoria», la peste se retiraba lentamente de la ciudad a pesar de que se habían levantado las medidas de prevención. A veces me picaba la curiosidad el ignorar la razón por la que el mero hecho de que hubiera desaparecido de entre nosotros el tenebroso miedo a la muerte me provocaba tal sensación de soledad. Me habría gustado hablar otra vez de aquello en lugar de los sueños del sultán o de los proyectos que le exponía el Maestro: ¡llevaba ya tiempo dispuesto a plantarme con él ante el terrible espejo que había quitado de la pared, aunque eso me supusiera enfrentarme al miedo a la muerte! Pero hacía demasiado que el Maestro me despreciaba, o que eso pretendía demostrarse; y, lo que era peor, a veces yo llegaba a creer que hasta eso le daba pereza.

En ocasiones, para atraerle de nuevo a nuestra antigua vida feliz, le decía que ya era hora de que volviéramos a sentarnos juntos a la mesa. Para darle ejemplo, un par de veces intenté llenar de nuevo algunas hojas de papel; pero cuando quise leerle aquellas exageradas notas sobre el miedo a la muerte, el deseo de hacer el mal reverdecido por ese mismo miedo y las maldades que había dejado a medias, ni siquiera me escuchó. Con un vigor que quizá se debiera más a mi desesperación que a su victoria, me contestó insolente que incluso en aquellos días del pasado había sido consciente de que todos esos escritos no eran más que tonterías, en su momento había participado en el juego por puro aburrimiento, movido por la curiosidad de saber en qué pararía aquello y en parte también para ponerme a prueba; pero el mismo día en que huí creyendo que él había contraído la peste, había comprendido qué tipo de hombre era yo. ¡Era un criminal! Los hombres se dividían en dos: los que tenían razón, como él, y los criminales como yo.

No respondí a aquellas palabras que prefería interpretar como producto de la embriaguez de la victoria. Cierto, mi inteligencia seguía siendo tan brillante como antes, y el hecho de darme cuenta de que me irritaba con pequeños acontecimientos cotidianos me demostraba que no había perdido mi capacidad de enfadarme, pero era como si, ante esas palabras que invitaban al contraataque, no supiera cuál debía ser mi reacción, hasta dónde podía llevar al Maestro, dónde acorralarle. Los días que pasé en la isla de Heybeli tras huir de él pude notar que mis objetivos se volvían nebulosos. Si volvía a Venecia, ¿qué sería de mí? Me había hecho a la idea de que en esos quince años mi madre habría muerto y mi prometida se habría casado y tendría hijos; no me apetecía pensar en ellas y cada vez aparecían con menos frecuencia en mis sueños, y además no me ocurría como en los primeros años, que soñaba que yo estaba en Venecia entre ellas, sino que ahora en mis sueños las veía a ellas entre nosotros, en Estambul. Sabía que si regresaba a Venecia no podría retomar una vida que había dejado a medias en el mismo punto en que se había interrumpido. Como mucho, podría iniciar una vida distinta. Y, aparte del par de libros que en tiempos había proyectado escribir sobre los turcos y mis años de esclavitud, ya no me emocionaban demasiado los detalles de aquella vida.

A veces pensaba que el Maestro intuía mi desarraigo y mi falta de objetivos y que me despreciaba precisamente porque comprendía mi debilidad, pero a veces dudaba de que incluso eso intuyera. El Maestro estaba tan embriagado por las historias que le contaba al sultán cada día, por sus fantasías de aquella arma increíble con cuyos detalles soñaba y de la cual decía que inevitablemente impresionaría al sultán, y por su victoria, que quizá ni se diera cuenta de lo que yo pensaba. Me sorprendía a mí mismo observando con sana envidia la felicidad del Maestro, que estaba exultante. Me gustaban él, aquel entusiasmo artificial que le otorgaba su victoria, tan exagerada, sus interminables proyectos y cómo se miraba la palma cuando decía que tendría al sultán en sus manos. Ni siquiera me atrevía a confesar que lo pensaba, pero mientras observaba sus movimientos y sus comportamientos cotidianos, a veces me poseía la sensación de estar observándome a mí mismo. En ocasiones uno ve en el comportamiento de algún niño o algún joven su propia infancia o su juventud y le contempla con cariño y curiosidad. Así eran mi miedo y mi curiosidad; a menudo se me venía a la memoria que me había agarrado de la nuca y me había dicho «Me he convertido en ti», pero cuando le recordaba aquellos días el Maestro me hacía callar y, o bien me contaba todo lo que le había dicho al sultán ese día para que resultara convincente su increíble arma, o bien me relataba con todo detalle cómo había conseguido atraer la atención del sultán esa mañana mientras interpretaba su sueño.

A mí me habría gustado creer también en la brillantez de aquellos éxitos que me describía con todo entusiasmo. A veces me ocurría que, llevado por mi fantasía sin límites, me ponía alegremente en su lugar y me lo creía. En esos momentos le quería y me quería, nos quería, mucho más, y me sumergía con la boca abierta en lo que contaba, como un bobo que escucha un bonito cuento, creyendo que hablaba de aquellos hermosos días del futuro como si fueran un objetivo de ambos.

¡Así fue como me uní a él en la interpretación de los sueños del sultán! El Maestro había decidido estimular al soberano, de veintiún años por aquel entonces, a que hiciera suyo el poder de manera efectiva. Con esa intención le explicaba que los caballos que galopaban solitarios y que aparecían tan a menudo en los sueños del sultán eran desdichados porque no tenían dueño; que los lobos que atacaban a la garganta a sus enemigos con sus traidores colmillos eran felices porque se ocupaban ellos mismos de sus propios asuntos; que las ancianas llorosas, las hermosas jóvenes ciegas y los árboles que perdían sus hojas a toda velocidad en la lluvia oscura estaban pidiendo su ayuda; y que las arañas sagradas y los orgullosos halcones indicaban las virtudes de la soledad. Queríamos que, después de hacerse con el poder, el sultán sintiera interés por nuestra ciencia, y para ello nos aprovechábamos hasta de sus pesadillas. Cuando, como tantos aficionados a la caza, en las noches de las largas y agotadoras jornadas de cacería el sultán soñaba con que él era la presa, o cuando víctima del miedo a perder el poder se veía en su sueño sentado en el trono de niño, el Maestro le explicaba que siempre se mantendría joven mientras lo ocupara pero que solo podría salvarse de las trampas de sus enemigos, que nunca dormían, construyendo armas superiores a las suyas. Cuando el sultán soñaba cómo se alejaban corriendo una de otra las dos mitades del asno que su abuelo el sultán Murat había partido con un golpe de espada para demostrar la fuerza de su brazo, o cómo aquella bruja de su abuela llamada Kösem Sultana resucitaba y se avalanzaba contra su madre y contra él para estrangularlos, o que de las higueras que crecían en el Hipódromo, en lugar de los plátanos que realmente había, colgaban cadáveres sanguinolentos en vez de higos, o que un ejército de tortugas que se hacía al mar en Üsküdar llevando en los caparazones unas velas que el viento no podía apagar avanzaba hacia palacio, nosotros pensábamos en qué injustos eran los que decían que había abandonado los asuntos de gobierno y que no tenía en la cabeza otras cosas que no fueran la caza y los animales e intentábamos interpretar aquellos sueños, que yo transcribía y clasificaba en un cuaderno con paciencia y placer, de manera que fueran útiles para la ciencia y para el arma increíble que era necesario construir.

Según el Maestro, íbamos influyendo poco a poco en él, pero yo ya no creía en que lo consiguiéramos. Tras noches en que fantaseaba entusiasmado con cómo conseguiría que le prometiera edificar un observatorio o una casa de las ciencias o construir un arma nueva, se pasaba meses sin hablar en serio con el sultán sobre aquellos temas. Al morir Köprülü un año después de la peste, el Maestro encontró un nuevo motivo para sus esperanzas: como el sultán tenía miedo del poder y de la personalidad de Köprülü, se había abstenido de poner en práctica todo lo que tenía en la cabeza, pero ahora que el gran visir había muerto y que su lugar lo había ocupado su hijo, mucho menos poderoso que su padre, había llegado el momento de esperar que el soberano tomara decisiones audaces.

Los tres años siguientes los pasamos esperando aquellas audaces decisiones. Lo que de veras me sorprendía no era tanto la inmovilidad del sultán, desorientado entre sus sueños y sus cacerías, sino que el Maestro todavía hiciera depender sus esperanzas de él. ¡Me había pasado todos esos años aguardando a que las perdiera y se pareciera a mí! Ya no hablaba tanto como antes de aquello que llamaba «su victoria» ni sentía aquel entusiasmo de los meses que siguieron a la peste, cierto, pero seguía manteniendo vivo el espejismo de que podría engañar al sultán para convencerle de algún gran proyecto. Siempre encontraba alguna excusa: si el sultán hubiese invertido dinero en sus grandes proyectos inmediatamente después del enorme incendio que calcinó Estambul, habría sido una oportunidad para los enemigos que querían poner en el trono a su hermano; ahora el sultán no podía hacer nada porque el ejército había iniciado una campaña en Hungría; el año siguiente esperamos porque hubo una contraofensiva contra los alemanes; luego estaba la construcción de la nueva mezquita de la madre del sultán en las orillas del Cuerno de Oro, en la que tanto dinero se había gastado para terminarla y a cuyas obras tan a menudo acudía el Maestro acompañando a Turhan Sultana y al soberano, y después aquellas interminables expediciones de caza a las que yo no iba. Mientras esperaba en casa a que regresara de la cacería, procuraba seguir los consejos del Maestro y buscaba brillantes ideas para aquello que llamaba su «gran proyecto» o «la ciencia», dormitando perezosamente mientras volvía las páginas de los libros.

Ya ni siquiera me divertía fantasear con aquellos proyectos cuyos resultados, si se llegaban a poner en práctica, no me importaban demasiado. El Maestro sabía tan bien como yo que todo lo que habíamos pensado en los primeros años de nuestra relación sobre astronomía, geografía o ciencias naturales carecía de cualquier aspecto tangible; los relojes, las máquinas y las maquetas habían sido abandonados en un rincón y se habían oxidado hacía mucho. Todo lo aplazamos para el día en que pudiéramos poner en práctica aquello tan indeterminado a lo que él llamaba «ciencia»; para salvarnos de la ruina, solo teníamos entre manos, más que un gran proyecto, el sueño de un proyecto. Con la intención de ser capaz de creer en aquel sueño descolorido que no me engañaba en absoluto y poder estar con el Maestro, intentaba ver con sus ojos algunas de las páginas que hojeaba o de las ideas que se me clavaban en la mente al azar, intentaba ponerme en su lugar. A su regreso de las cacerías, yo simulaba haber encontrado una nueva verdad sobre cualquier tema que me hubiera encargado que meditara y aparentaba que podríamos cambiarlo todo basándonos en ella: cuando le decía «La razón de que las aguas del mar suban y bajen tiene que ver con la temperatura de los ríos que desembocan en él», o «La peste se mezcla con las partículas del aire y, cuando el tiempo cambia, la enfermedad desaparece», o «Si hiciéramos un arma enorme con un cañón largo y ruedas, podríamos derrotar a cualquier enemigo y conseguir ponerlo en fuga», o «La Tierra gira alrededor del Sol y este alrededor de la Luna», la respuesta que el Maestro me daba sonriéndome con afecto mientras se cambiaba la polvorienta ropa de caza era siempre la misma: «¡Y nuestros estúpidos ni siquiera de eso se dan cuenta!».

Luego, dejándose llevar por una crisis de ira cuya violencia también a mí me arrastraba, hablaba de la estupidez que suponía que el sultán hubiera cabalgado durante horas tras un perplejo jabalí o el hecho de que hubiera llorado por una liebre que habían atrapado los mismos galgos que él había lanzado contra ella, admitía a duras penas que todo lo que le había dicho durante la cacería al sultán le había entrado por un oído y le había salido por el otro, y repetía con odio: ¿cuándo se darían cuenta esos estúpidos de la realidad? ¿Era una casualidad o una necesidad que tantos tontos se encontraran unos a otros? ¿Por qué eran tan tontos?

Y así iba intuyendo lentamente que debía empezar de nuevo con aquello que llamaba «ciencia», ahora para entender lo que esa gente tenía dentro de la cabeza. Yo también estaba deseando que nos pusiéramos a trabajar en aquella «ciencia» porque la idea me traía a la memoria aquellos buenos días en que nos sentábamos a la mesa, tan parecidos aunque nos odiáramos tanto, pero tras los primeros intentos nos dimos cuenta de que nada era como antes.

Ahora era incapaz de sugerirle ninguna idea descabellada y presionarle insistiendo en ella porque no sabía adónde quería llevarle ni para qué. Y, lo más importante, notaba su dolor y su derrota como si fueran míos. En cierta ocasión le observé después de recordarle con exagerados ejemplos la estupidez de los de aquí y de hacerle sentir que él estaba tan abocado al fracaso como los demás, aunque ni yo mismo me lo creyera: cierto, lo negó furioso, decía que la derrota no era algo inevitable, que si actuábamos antes que ellos y nos entregábamos al trabajo, si, por ejemplo, podíamos convertir en realidad ese proyecto del arma, podríamos alterar como quisiéramos el fluir de ese río que nos empujaba hacia atrás pasando por encima de nosotros; cierto, me alegraba oírle hablar de «nuestros proyectos» como hacía en sus tiempos de desesperación y no de «sus proyectos», pero le envolvía el horror de una derrota cercana e inevitable: me parecía un niño huérfano y me gustaban la ira y la amargura que tanto me recordaban mis primeros años de esclavitud; me habría apetecido ser como él. Mientras el Maestro recorría arriba y abajo la habitación o miraba la calle sucia y fangosa bajo la lluvia oscura o las pálidas y temblorosas luces todavía encendidas de un par de casas a orillas del Cuerno de Oro como si allí pudiera encontrar la huella de un indicio en el que pudiera depositar sus esperanzas, yo pensaba que aquel que erraba angustiado por el cuarto no era el Maestro sino mi propia juventud. El hombre que había sido una vez me había abandonado, y yo, dormitando en un rincón, aspiraba a ser él de nuevo, como si así pudiera encontrar el entusiasmo perdido.

Pero también acabé por hartarme de aquel entusiasmo que se repetía sin agotarse. Después de convertirse en gran astrólogo, le habían asignado más tierras en Gebze y nuestras ganancias habían aumentado en correspondencia. Aparte de charlar con el sultán, no tenía necesidad de dedicarse a ninguna otra cosa. De vez en cuando íbamos a Gebze para controlar las rentas, pasábamos por los ruinosos molinos y por las aldeas, donde, antes que nadie, nos recibían robustos perros pastores, intentábamos saber cuánto nos engañaba el capataz hojeando los registros, escribíamos entretenidos opúsculos para el sultán, a veces riéndonos pero en la mayor parte de las ocasiones suspirando de aburrimiento, y no hacíamos nada más. De no ser por mi insistencia quizá ni hubiera organizado aquellas juergas en las que, después de pasar un rato agradable, nos acostábamos con mujeres deliciosamente perfumadas.

Lo que más le crispaba los nervios era que el sultán, envalentonado porque los ejércitos y los bajás abandonaban Estambul para partir que si a la campaña alemana, que si a la fortaleza de Creta, y porque su madre ya no tenía el menor ascendiente sobre él, había vuelto a reunir a su alrededor a todos aquellos embaucadores serviles, bufones e imitadores que habían sido expulsados de palacio. Para diferenciarse de aquellos hipócritas que le repugnaban y a los que odiaba y para hacerles aceptar su superioridad, el Maestro había decidido no mezclarse con ellos, pero en un par de ocasiones, por insistencia del sultán, se vio obligado a escuchar lo que hablaban y discutían. Salía habiendo perdido todas sus esperanzas en el futuro de aquellas reuniones en las que se hablaba de si los animales tendrían alma, de cuál la tendría, de cuál iría al Cielo y cuál al Infierno, de si los mejillones eran machos o hembras, de si el sol que salía cada mañana era un sol nuevo o el mismo que se ponía al atardecer y que asomaba la cabeza a la mañana siguiente dando la vuelta por detrás, y de otras cosas semejantes, y afirmaba que si no hacíamos algo pronto el sultán se nos iría de las manos.

Yo estaba completamente de acuerdo con él porque, para mi alegría, le oía hablar de «nuestros» proyectos y «nuestro» futuro. Una vez, para comprender lo que pasaba por la cabeza del sultán, desplegamos los cuadernos en los que yo llevaba años tomando nota de sus sueños y nuestros recuerdos. Intentamos llevar la cuenta de las ideas del sultán como quien hace inventario de todas las baratijas que salen de los cajones de un armario; el resultado no era nada esperanzador: cierto, el Maestro seguía hablando de aquellas armas increíbles que habrían de salvarnos o de esos secretos de las profundidades de nuestras mentes que debíamos desvelar lo antes posible, pero ya no podía comportarse como si no percibiera la terrible ruina que se estaba aproximando. Durante meses estuvimos dándole vueltas a la cuestión.

¿Entendíamos por ruina que el Imperio perdiese uno por uno los países que dominaba? Extendíamos nuestros mapas sobre la mesa y determinábamos, entristecidos, primero qué países se perderían y luego qué montañas y ríos. ¿O acaso la palabra «ruina» significaba que la gente y las creencias cambiarían imperceptiblemente? Soñábamos con que todos los habitantes de Estambul se levantarían una mañana de sus cálidos lechos siendo otros; no sabrían cómo ponerse la ropa ni recordarían para qué servían los alminares. Quizá «ruina» significara asumir la superioridad de los otros e intentar parecerse a ellos: entonces me hacía relatarle alguna parte de mi vida en Venecia y luego fantaseábamos pensando cómo vivirían algunos de nuestros conocidos de aquí los hechos que yo recordaba llevando sombreros y pantalones.

Como última esperanza de salvación, decidimos presentarle al sultán aquellos sueños con los que se nos pasaba el tiempo volando. Pensamos que tal vez llegara a considerar todas aquellas escenas de ruina si se las presentábamos animadas con colores oníricos. Así pues, durante silenciosas y oscuras noches, con una alegría amarga y desesperada, llenamos un libro con todo lo que brotaba de aquellos sueños de derrota y ruina que nos habíamos forjado a lo largo de meses: los pobres de cabeza gacha, los caminos fangosos, las construcciones a medias, las calles oscuras y extrañas, los que rezaban oraciones que no comprendían para que todo fuera como antes, las madres preocupadas y los padres desdichados, los desgraciados cuyas vidas no les bastaban para transmitirnos lo que se hacía y se escribía en otros países, las máquinas que no funcionaban, los ancianos de ojos anegados en lágrimas que lloraban por los buenos días de antaño, los perros callejeros todo piel y huesos, los campesinos sin tierra, los desempleados que vagaban sin rumbo por las ciudades, los musulmanes analfabetos pero que llevaban pantalones, y todas las guerras que acababan en derrotas. En otra parte del libro pusimos mis pálidos recuerdos; un par de coloridas escenas extraídas de sucesos instructivos que me habían ocurrido en mis años escolares mientras vivía con mis padres y mis hermanos en Venecia: así vivían esos «otros» que iban a vencernos, ¡teníamos que actuar antes que ellos y hacer las cosas así! En el capítulo de conclusiones, que también pasó a limpio nuestro calígrafo zurdo, había un poema de cuidadosa métrica que, gracias a la metáfora tan querida por el Maestro del armario lleno, podía considerarse una introducción a los complejos secretos del oscuro enigma de nuestros cerebros. La bruma cuidadosamente trenzada de aquel poema, que me atrevería a llamar orgullosa y callada, ponía punto final al mejor de los libros y opúsculos que nunca escribimos el Maestro y yo.

Un mes después de que el Maestro entregara el libro al sultán, recibió órdenes suyas de iniciar la construcción de aquella arma increíble. Nos quedamos estupefactos por la sorpresa y fuimos incapaces de decidir hasta qué punto le debíamos nuestra victoria al libro.

9

Diciendo «Construye para que la veamos esa arma increíble que hará que nuestros enemigos muerdan el polvo», quizá el sultán estuviera poniendo a prueba al Maestro, quizá tuviera algún sueño que le hubiera ocultado, quizá quería demostrar a su madre y a los bajás, que le acosaban continuamente, que los sabihondos que había reunido a su alrededor servían para algo, quizá pensaba, después de lo de la peste, que el Maestro podría realizar otro milagro, quizá le hubieran impresionado de verdad los sueños de ruina con los que habíamos llenado nuestro libro, quizá, más que la ruina, le inquietaba pensar que, como sospechaba, después de una serie de fracasos militares, los partidarios de su hermano quisieran derribarle del trono para poner al otro en su lugar. Pensábamos en todo aquello mientras, sorprendidos, calculábamos los tremendos ingresos de las aldeas, las posadas y los olivares que el sultán nos había cedido para que desarrolláramos el arma.

Finalmente el Maestro dijo que lo único de lo que debíamos sorprendernos era de nuestra propia sorpresa: ¿acaso las historias que llevaba años contándole al sultán, los opúsculos y libros que habíamos escrito, no eran tan falsos como pensábamos y sembraban dudas en nosotros, puesto que él creía en ellos? Y aún había más: el sultán había empezado a sentir curiosidad por qué sería lo que se movía en la oscuridad de nuestros cerebros. El Maestro me preguntaba excitado: ¿acaso no era esa la victoria que llevábamos años esperando?

Sí, así era; y además esta vez nos entregamos al trabajo mano a mano; yo también me sentía contento porque a mí no me preocupaba tanto el resultado como a él. Los seis años que siguieron, en los que intentamos desarrollar el arma, fueron los más peligrosos para nosotros. Y no porque trabajáramos con pólvora, sino porque atraíamos la envidia de nuestros celosos enemigos, que, impacientes, esperaban todos nuestra victoria o nuestra derrota; y como en realidad nosotros esperábamos temerosos lo mismo, vivíamos en peligro.

Primero pasamos un invierno en el que perdimos el tiempo trabajando sentados a la mesa. Nos sentíamos entusiasmados y decididos, pero solo teníamos en las manos la idea del arma y los imprecisos e indefinidos detalles que afloraban en nuestra mente cuando soñábamos en cómo pondría en fuga a nuestros enemigos. Luego decidimos trabajar con pólvora y salir al aire libre. Como habíamos hecho durante las semanas en las que estuvimos preparando juntos el espectáculo de fuegos artificiales, nos retirábamos a la fresca sombra de altos árboles mientras a lo lejos nuestros hombres encendían las mezclas preparadas según nuestras fórmulas. De los cuatro costados de Estambul venían curiosos a contemplar las nubes de humo multicolor que brotaban con todo tipo de estallidos. Más tarde, los alrededores del prado donde instalamos las piezas que habíamos hecho fundir, los largos cañones, los blancos y nuestras tiendas, se convirtieron en una especie de recinto ferial para las masas. A finales de verano el propio sultán vino un día sin avisar.

Le hicimos una demostración provocando gemidos en el cielo y en la tierra; le mostramos uno a uno los cartuchos que habíamos preparado para las mezclas de pólvora bien apretada, las balas, las nuevas piezas y los planos de los moldes de los cañones que aún no habían sido fundidos y los proyectos de los mecanismos de disparo que se pondrían en marcha automáticamente. Más que por ellos, se interesó por mí. Al principio el Maestro quiso mantenerme alejado del sultán, pero este sintió curiosidad al ver que, en cuanto comenzó la demostración, yo daba tantas órdenes como él y que nuestros hombres me preguntaban tanto como al Maestro.

Quince años después, al acudir por segunda vez ante su presencia, el sultán me miró como si me conociera de antes pero en ese momento no supiera de qué; como alguien que intenta adivinar qué fruta está probando con los ojos cerrados. Le besé los faldones. No se irritó al saber que todavía no me había convertido al islam a pesar de que llevaba veinte años allí. Tenía la cabeza en otra cosa: «¿Así que veinte años? —dijo—. ¡Qué raro!». Luego me hizo aquella pregunta: «¿Tú le has enseñado todo esto?». Pero no me lo había preguntado para conocer mi respuesta; acababa de salir de nuestra andrajosa tienda, que olía a pólvora y salitre, y se encaminaba hacia su hermoso caballo blanco; se detuvo de repente, se volvió hacia nosotros, que en ese momento estábamos de pie el uno junto al otro, y sonrió como si estuviera viendo una de esas inigualables maravillas creadas por Dios para doblegar el orgullo del ser humano y proclamar su estupidez, un enano perfecto o dos hermanos gemelos exactamente iguales.

Aquella noche pensé en él, pero no como al Maestro le habría gustado. El Maestro seguía hablando con odio del sultán y yo, por mi parte, me daba cuenta de que no podría odiarle ni despreciarle: me habían gustado su informalidad, su simpatía y su aspecto de niño malcriado que dice lo primero que se le viene a la cabeza. Habría querido ser como él o ser su amigo. Mientras estaba en mi cama intentando dormir tras una de las crisis de ira del Maestro, pensé en el sultán como alguien que no se merecía ser engañado y me habría gustado contárselo todo. Pero ¿qué era «todo»?

No era que mi interés no fuera correspondido. Un día, cuando el Maestro me dijo que esa mañana el sultán nos esperaba a los dos, fui con él a palacio. Era uno de esos hermosos días de otoño que huelen a mar y a algas. Pasamos toda la mañana junto a un estanque de nenúfares bajo los ciclamores y plátanos de un bosquecillo bastante grande cubierto por las hojas rojas caídas de los árboles. El sultán quiso que habláramos de las ranas que llenaban vivaces el estanque. El Maestro no le complació y soltó un par de lugares comunes faltos de fantasía y colorido. Al sultán no le importó aquella descortesía que a mí tanto me sorprendió. Estaba más interesado en mí.

Así pues, hablé largamente del mecanismo de salto de las ranas, de la circulación de su sangre, de cómo sus corazones seguían latiendo un buen rato si se separaban con cuidado del cuerpo y de las moscas e insectos que comían. Pedí papel y pluma para mostrarle mejor la evolución que sufrían desde el huevo hasta llegar a parecerse a las ranas adultas del estanque. El sultán se mostró muy interesado mientras yo hacía los dibujos con el juego de cálamos que me trajeron en un estuche de plata con incrustaciones de rubíes. Escuchó muy divertido las fábulas que todavía podía recordar en las que aparecían ranas, y aunque arrugó el gesto con náuseas cuando le llegó el turno al cuento de la princesa que besaba a la rana, no me pareció en absoluto el jovencito estúpido del que hablaba el Maestro; era más bien como un adulto con la cabeza sobre los hombros que quiere comenzar el día hablando de ciencia y arte. Al final de aquellas hermosas horas, que el Maestro se pasó rezongando, el sultán me dijo mirando los dibujos de ranas que tenía en la mano: «De hecho, ya sospechaba que habías sido tú quien se había inventado las historias. ¡Así que además también dibujaste las ilustraciones!». Luego me preguntó por los sapos bigotudos.

Así fue como comenzó mi relación con el sultán. Ahora siempre acompañaba al Maestro cuando iba a palacio. Al principio el Maestro estaba muy callado y hablábamos sobre todo el sultán y yo. Mientras charlábamos de sus sueños, de sus gustos, de sus miedos y del pasado y el futuro, yo pensaba en hasta qué punto aquel hombre bromista y sensato que tenía ante mí se parecía al sultán que el Maestro llevaba años describiéndome. Por sus certeras preguntas y sus pequeñas astucias, pude deducir que, basándose en los libros que le habíamos presentado, sentía curiosidad por saber hasta qué punto el Maestro era el Maestro o yo, y hasta qué punto yo era yo o el Maestro. En cuanto a este último, por aquel entonces estaba lo bastante ocupado con las piezas de artillería y los largos cañones que intentaba fundir como para que no le preocupara ese interés que, por otro lado, encontraba bastante tonto.

El Maestro se inquietó cuando, seis meses después de que comenzáramos a trabajar con los cañones, supo que el comandante de la artillería se había enfadado porque metíamos las narices en sus asuntos y había solicitado que, o bien le depusieran de su puesto, o bien desterraran de Estambul a aquellos locos, nosotros, que estaban hundiendo la artillería con la pretensión de renovarla; no obstante, tampoco buscó una vía intermedia para entenderse con el comandante a pesar de que este parecía dispuesto a llegar a un acuerdo. Un mes más tarde, cuando el sultán ordenó que buscáramos otros medios para desarrollar el arma que no fueran cañones, el Maestro no lo sintió demasiado. Para entonces ambos sabíamos que las nuevas piezas y cañones que habíamos fundido no eran superiores a las viejas que llevaban años usándose.

Así fue como, según el Maestro, entramos en una nueva etapa en la que tendríamos que soñarlo y crearlo todo de nuevo, pero como ya me había acostumbrado a sus enfados y sus fantasías, lo único que me resultó nuevo fue que nos codeáramos con el sultán. Y también él estaba contento de ir conociéndonos mejor. Como un padre atento que separa a dos hermanos que se pelean porque sus canicas se han confundido diciendo «Esta es tuya y esta tuya», él, observando nuestras palabras y comportamientos, procuraba diferenciarnos. Aquellas observaciones, que a veces encontraba infantiles y a veces sabias, me provocaban bastante curiosidad: casi creía que mi personalidad se había escindido de mí y se había unido a la del Maestro y la del Maestro a la mía sin que nos diéramos cuenta, y que el sultán, dándole su correcto lugar a esa criatura onírica, nos conocía mejor de lo que nosotros mismos nos conocíamos.

Mientras interpretábamos sus sueños o hablábamos de la nueva arma en la que estábamos trabajando, aunque solo la tuviéramos en nuestra imaginación, el sultán se paraba de repente, se volvía hacia alguno de nosotros y decía: «No, esta idea no es tuya, es suya». A veces incluso identificaba nuestros gestos: «Ahora estás mirando como él, ¡mira como tú!». Y cuando yo sonreía atónito, añadía: «Así, muy bien. ¿Habéis probado a miraros juntos al espejo?». Y nos preguntaba cuánto aguantaba cada uno siendo él mismo cuando nos mirábamos al espejo. En cierta ocasión ordenó que le trajeran todos los opúsculos, libros de animales y calendarios que habíamos escrito para él a lo largo de años, y mientras los leía pasando las páginas nos iba diciendo quién había escrito qué y qué había soñado quién poniéndose en el lugar del otro. Pero lo que más enfureció al Maestro, aunque a mí me dejó completamente fascinado, fue el imitador que mandó llamar cierta vez que estábamos con él.

El hombre no se nos parecía ni de cara ni de cuerpo, era gordo y bajo, y vestía de una manera completamente distinta, pero me asusté en cuanto abrió la boca: era como si no hablara él sino el Maestro. Al igual que él, se inclinaba al oído del sultán como si le comunicara un secreto; al igual que él, bajaba la voz al entrar en detalles al tiempo que adoptaba una actitud estudiadamente pensativa y de repente, al igual que él, se dejaba arrastrar por la excitación de lo que estaba diciendo y manoteaba fogosamente para convencer al otro hasta quedarse sin aliento, pero, aunque hablaba acentuando las palabras como el Maestro, no describía las estrellas ni proyectos de armas increíbles, sino que simplemente enumeraba los platos cuyas recetas había aprendido en las cocinas de palacio y los nombres de las especias y otras fruslerías necesarias para prepararlos. El imitador continuó haciendo su trabajo contando una por una las postas entre Estambul y Alepo mientras al Maestro se le demudaba el rostro y el sultán sonreía. Luego el sultán le pidió que me imitara a mí. Aquel hombre que me miraba estupefacto con la boca abierta era yo mismo: me quedé atónito. Y me embrujó cuando el sultán le ordenó que nos imitara tanto al Maestro como a mí. Mientras observaba los gestos del hombre, me habría apetecido decir, como hacía el sultán: «Este es el Maestro y este soy yo», pero el imitador se encargaba de hacerlo por sí mismo señalándonos alternativamente con el dedo. Después de despedirle con grandes elogios, el sultán nos ordenó que reflexionáramos sobre aquello.

¿Qué quería decir? Esa noche le comenté al Maestro que el sultán me parecía mucho más inteligente que el hombre que me había estado describiendo durante años y que en realidad iba por su propia voluntad por el camino por el que él supuestamente lo guiaba, cuando le poseyó de nuevo un ataque de furia. Esta vez le di la razón, la destreza del imitador había sido insoportable. El Maestro dijo que a partir de ese momento no volvería a poner el pie en palacio a no ser que fuera absolutamente necesario. Ahora que por fin pasaba por sus manos la oportunidad que llevaba años esperando, no tenía la menor intención de volver a formar parte de esos estúpidos y dejarse maltratar. Como yo conocía los intereses del sultán y mi cabeza funcionaba lo suficientemente bien como para ser capaz de hacer aquellas payasadas, sería yo quien iría a palacio en su lugar.

El sultán no me creyó cuando le dije que el Maestro se había puesto enfermo. «Que trabaje en el arma, pues», dijo. Por lo tanto, durante aquellos cuatro años en que el Maestro estuvo proyectando y construyendo el arma, yo era quien acudía a palacio y él, como antes hacía yo, quien se quedaba en casa con sus fantasías.

Fue a lo largo de aquellos cuatro años cuando aprendí que la vida no es una espera sino algo que se puede disfrutar. Todos los que veían que el sultán me tenía en tan alta estima como al Maestro me invitaban a las ceremonias y entretenimientos que se celebraban casi todos los días. Un día se casaba la hija de un visir, otro nacía un retoño más del sultán, luego circuncidaban a sus hijos, al día siguiente había una fiesta porque se había recuperado una fortaleza a los húngaros, después se celebraba que el heredero había empezado la escuela, y, en eso, comenzaban las festividades del Ramadán y las fiestas que celebraban su fin. En poco tiempo engordé a base de atiborrarme de carne grasienta y arroz y de picar de aquellos leones, avestruces y sirenas hechos de azúcar y pistacho en aquellos saraos, muchos de los cuales duraban días. La mayor parte del tiempo lo pasaba contemplando luchadores que peleaban hasta caer desfallecidos, equilibristas que, sobre la cuerda que habían extendido entre los alminares de una mezquita, bailaban con la pértiga que llevaban a cuestas, partían herraduras con los dientes, se acuchillaban o se clavaban pinchos aquí y allá, prestidigitadores que se sacaban de las túnicas serpientes, palomas o monos y que hacían desaparecer en un abrir y cerrar de ojos las tazas de nuestras manos o el dinero de nuestros bolsillos, o las representaciones de Karagöz y Hacivat, cuyas groserías me encantaban. Por las noches, si no había algún espectáculo de fuegos artificiales, iba con mis nuevos amigos, la mayoría de los cuales había conocido aquel mismo día, a uno de esos palacetes o mansiones a los que todos acudían para entretenerse y, después de escuchar música durante horas bebiendo vino o *rakı*, me divertía brindando con las hermosas danzarinas que imitaban a lánguidas gacelas, con los apuestos bailarines que se contoneaban caminando sobre el agua o con los cantantes que entonaban conmovedoras y alegres canciones con voz ardiente.

Visitaba a menudo las residencias de esos embajadores que tanta curiosidad sentían por mí y, después de ver alguna coreografía en la que correteaban hermosos muchachos y muchachas u oír las últimas pedanterías de alguna orquesta traída de Venecia, saboreaba mi fama, que iba incrementándose lentamente. Los europeos que se congregaban en las embajadas me preguntaban por mis terribles aventuras sintiendo curiosidad por cuánto había sufrido, cómo me había resistido y cómo era posible que todavía aguantara. Yo les ocultaba que me pasaba la vida dormitando entre cuatro paredes y escribiendo libros absurdos y, como hacía con el sultán, les contaba historias increíbles que improvisaba por pura costumbre sobre aquel interesante mundo que tanto querían conocer.

No solo las jovencitas que venían a ver a sus padres antes de casarse y las mujeres de los embajadores que coqueteaban conmigo, sino también todos aquellos embajadores y secretarios tan bien vestidos, escuchaban admirados las sangrientas historias de religión y violencia, las intrigas amorosas y del harén que me iba inventando. Si insistían mucho les susurraba al oído un par de secretos de Estado que improvisaba allí mismo o le atribuía al sultán extrañas costumbres que nadie le conocía. Cuando querían conseguir más información, me gustaba darme aires de misterio; hacía como si no pudiera contar todo lo que sabía y me refugiaba en un silencio que despertaba aún más la curiosidad de aquellos imbéciles a los que el Maestro pretendía que nos pareciéramos. Pero sabía que entre ellos se susurraban que yo tenía que ver con un enorme y misterioso proyecto que requería dominio de la ciencia y con la idea de un arma imprecisa que necesitaba ingentes cantidades de dinero.

Por la noche, al regresar a casa de aquellas mansiones y palacios con el recuerdo de los hermosos cuerpos que había visto y la cabeza aturdida por los vapores de las bebidas que había ingerido, me encontraba al Maestro trabajando sentado a la mesa que habíamos comprado hacía veinte años. Se había sumido en un ritmo de trabajo como nunca hasta entonces le había visto, y la mesa estaba repleta de extrañas formas y dibujos y papeles llenos de su caligrafía nerviosa. Me pedía que le contara lo que había hecho y lo que había visto durante todo el día y enseguida me interrumpía asqueado por todos aquellos entretenimientos, que encontraba indecentes y tontos, y comenzaba a explicarme su proyecto hablando una vez más de «ellos» y «nosotros».

Otra vez volvía a decir que todo estaba relacionado con lo que teníamos en el interior de nuestras cabezas y basaba el proyecto entero en aquella idea. Hablaba entusiasmado de la simetría, o de la complejidad, del armario lleno de cachivaches que llamamos cerebro, pero yo era incapaz de comprender cómo, partiendo de aquello, podría darle forma a esa arma en la que depositaba todas sus esperanzas, nuestras esperanzas. De hecho, no creo que nadie lo comprendiera, ni siquiera, como a veces llegaba a pensar, él mismo. Me decía que algún día alguien abriría nuestras cabezas y confirmaría todas aquellas ideas suyas. Hablaba también de una gran verdad que había percibido cuando nos miramos juntos al espejo en los días de la peste, ¡ahora todo lo tenía mucho más claro en su mente, precisamente de esa verdad había surgido la idea del arma! Y luego me mostraba con las nerviosas puntas de los dedos, a mí, a quien tanto habían impresionado aquellas palabras entusiastas aunque no las hubiese comprendido, una extraña e imprecisa forma sobre el papel.

Esa forma, que iba viendo más desarrollada cada vez que me la enseñaba, parecía recordarme algo. Mirando aquella mancha oscura, casi me atrevería a decir que «diabólica», que era el dibujo, me daba la impresión de estar a punto de ser capaz de afirmar a qué se parecía lo que veía, pero guardaba silencio, víctima de un apocamiento momentáneo o creyendo que mi mente me estaba jugando una mala pasada. A lo largo de aquellos cuatro años, siempre vi así esa forma, cuyos detalles estaban dispersos entre los papeles y que iba ganando definición desarrollándose poco a poco, y que por fin se haría realidad tragándose todo el dinero y el esfuerzo humano acumulado durante años. También ocurría que a veces me parecía semejante a algo que hubiéramos visto, bien en nuestra vida cotidiana o bien en nuestros sueños, o que hubiéramos mencionado en un par de ocasiones en los años en que nos contábamos nuestros recuerdos, pero me era imposible dar el paso adelante que me permitiera aclarar lo que se me pasaba por la mente y, doblegándome ante la indefinición de mis pensamientos, esperaba en vano que fuera la propia arma la que me desvelara su misterio. Incluso cuatro años más tarde, cuando la pequeña mancha se convirtió en aquella extraña criatura del tamaño de una enorme mezquita de la que hablaba todo Estambul, en aquella visión terrible, en lo que el Maestro llamaba una auténtica máquina de guerra, mientras todo el mundo la comparaba con algo, yo seguía perdido en los detalles que el Maestro me había contado en el pasado sobre los futuros triunfos del arma.

Cuando iba a palacio intentaba repetirle aquellos brillantes y terribles detalles al sultán como quien intenta recordar por la mañana un sueño que la memoria quiere olvidar testarudamente, y le hablaba de las ruedas, los engranajes, la cúpula, la pólvora y las palancas que quién sabe cuántas veces me había descrito el Maestro. Las palabras no eran las mías, y en lo que decía estaba ausente la fogosidad de sus frases, pero podía ver que al sultán le impresionaba. Y a mí me impresionaba también ver que a aquel hombre, que en mi opinión tenía la cabeza sobre los hombros, le esperanzaban aquel montón de palabras vagas y la emotiva poesía de victoria y liberación del Maestro, que yo solo podía transmitir con gran tosquedad. El sultán me decía que el Maestro, que se había quedado en casa, era yo. A esas alturas, yo ya estaba bastante hastiado de aquellos juegos mentales que me confundían. Cuando comentaba que yo era el Maestro, yo pensaba que era mejor no seguir su lógica porque poco después afirmaba que era yo quien le había enseñado todo aquello al Maestro. ¡No el hombre aletargado de ahora, sino el que había sido capaz de conseguirlo, el mismo que en tiempos había cambiado al Maestro! Yo pensaba que ojalá habláramos de los entretenimientos de aquel día, de los animales, de las fiestas o de la procesión de artesanos que se estaba preparando. Más tarde el sultán me dijo que todo el mundo sabía que era yo quien estaba detrás del proyecto de aquella arma.

Eso fue lo que más me asustó. El Maestro llevaba años sin que se le viera, casi se habían olvidado de él, siempre era a mí a quien veían tan a menudo en mansiones y palacios, por la ciudad o acompañando al sultán; ¡ahora tenían celos de mí! Y no solo porque a aquella arma imprecisa, sobre la cual los rumores iban en aumento cada día que pasaba, se le hubieran destinado los ingresos de tantas aldeas, olivares y posadas, no solo porque estuviera muy próximo al sultán, sino también porque con aquella arma metíamos las narices en los asuntos de otros y por eso se afilaban los dientes contra mí, contra el infiel. En los momentos en que era incapaz de no prestar oídos sordos a sus calumnias les confesaba mis temores al Maestro y al sultán.

Pero no me hacían demasiado caso. ¡El Maestro estaba inmerso por completo en su proyecto! Envidiaba su furia como los ancianos que envidian la pasión de los jóvenes. En esos últimos meses en que, a fuerza de alimentar con detalles y desarrollar esa mancha imprecisa y oscura de los papeles, la había convertido en los planos de los moldes de un monstruo que a mí me asustaba y sobre los que luego, gastándose increíbles cantidades de dinero, había fundido piezas de hierro tan gruesas como para que no pudiera atravesarlas ninguna bala de cañón, ni siquiera escuchaba los malignos rumores que le transmitía; solo le interesaban las mansiones de los embajadores en las que se hablaba de su trabajo: ¿qué tipo de gente eran aquellos embajadores? ¿Cómo funcionaban sus mentes? ¿Tenían alguna idea digna de mención sobre el arma? Y, lo más importante: ¿por qué el sultán no se planteaba enviar a aquellos países a embajadores que representaran de manera permanente al Estado? Yo intuía que pretendía que le encargaran aquella tarea, que quería vivir entre ellos y librarse de estos estúpidos, pero no lo reconoció abiertamente ni siquiera en los días de desesperación en que tenía dificultades para hacer realidad el proyecto, en que aparecían fisuras en las piezas de hierro que hacía fundir o en que creía que no le llegaría el dinero. Solo un par de veces se le escapó que le gustaría poder relacionarse con «sus» hombres de ciencia, tal vez ellos comprendieran las verdades que había descubierto relativas al funcionamiento de nuestras mentes; quería establecer correspondencia con los científicos de países lejanos, venecianos, flamencos o de cualquier país que se le viniera a la cabeza en aquel momento. ¿Quiénes serían los mejores entre ellos? ¿Dónde vivirían? ¿Cómo escribirles? ¿Podía enterarme yo de todo aquello por los embajadores? En esos últimos días en que me abandonaba a las diversiones sin que me interesara demasiado el arma que se iba haciendo realidad, olvidé rápidamente aquella petición, que contenía el rastro de un pesimismo que habría complacido a nuestros enemigos.

Además, el sultán hacía oídos sordos a los rumores de quienes nos odiaban. En los días en que el Maestro buscaba hombres valientes que se introdujeran en aquella terrorífica masa de acero entre el olor a óxido y hierro que quemaba las fosas nasales para que giraran los engranajes y así poder probar el arma, yo me quejé al sultán de los rumores y él ni siquiera me escuchó. Como siempre, me hizo repetirle lo que contaba el Maestro. Contaba con el Maestro, estaba contento con todo, no se arrepentía lo más mínimo de confiar en él, y me lo agradecía a mí. Por supuesto, por la misma razón de siempre: porque yo se lo había enseñado todo al Maestro. El sultán también hablaba, como el Maestro, de lo que teníamos dentro de la cabeza. Y después recordaba la otra cuestión paralela a ese interés; tal y como el Maestro me había preguntado en tiempos, el sultán también me interrogaba por cómo se vivía allí, en aquellas tierras, en mi antiguo país.

Le conté un montón de fantasías. Ahora soy incapaz de discernir si aquellas quimeras, la mayoría de las cuales he acabado por creerme a fuerza de repetirlas, eran cosas que realmente viví en mi juventud o historias soñadas que se me venían a la pluma cada vez que me sentaba a la mesa para escribir mi libro. A veces largaba un par de entretenidas mentiras que se me ocurrían en ese momento, aunque había también patrañas que iba desarrollando según las inventaba. Le repetía que todos llevábamos muchos botones en la ropa porque el detalle le interesó y le contaba historias cuyos pormenores era incapaz de determinar si procedían de mis recuerdos o de mis sueños. Pero había un par de realidades que no había podido olvidar en veinticinco años: ¡lo que hablábamos bajo los tilos, sentados a la mesa durante el desayuno, mis padres, mis hermanos y yo! Eso era lo que menos le interesaba al sultán. En cierta ocasión me dijo que, en realidad, todas las vidas se parecían. Por alguna extraña razón, aquella frase me dio miedo, en el rostro del sultán había una expresión diabólica que nunca antes le había visto y me habría gustado preguntarle qué quería decir con aquello. Luego, mientras le miraba a la cara atemorizado, me habría apetecido decirle «Yo soy yo». Me parecía que si tenía el valor suficiente como para pronunciar aquella estúpida frase resultarían vanos los juegos de todos aquellos chismosos que enredaban para convertirme en otro, los juegos del Maestro y del sultán, y yo podría seguir viviendo en paz con mi propia esencia. Pero guardé silencio asustado como los que temen hasta la mención de cualquier atisbo de incertidumbre que pueda poner en peligro su tranquilidad.

Eso fue en primavera, en los días en que el Maestro había terminado su arma pero no había podido probarla porque no había logrado reunir a los hombres suficientes para poder hacerla funcionar. Nos quedamos estupefactos cuando, poco después, el sultán inició una campaña en Polonia al frente de su ejército. ¿Por qué no se había llevado a la guerra el arma que haría huir a nuestros enemigos? ¿Por qué no me había llevado a mí? ¿No confiaba en nosotros? Como todos los que se quedaron en Estambul, sospechábamos que, en realidad, el sultán no había ido a la guerra sino de caza. El Maestro estaba contento de haber ganado un año y yo no tenía nada que hacer ni en que entretenerme, así que trabajamos juntos en el arma.

Nos costó mucho trabajo encontrar hombres que pusieran en marcha el artefacto. A nadie le apetecía introducirse en aquella cosa indefinible de aspecto terrorífico. El Maestro proclamó que pagaría mucho dinero, hicimos que los pregoneros lo anunciaran por la ciudad, enviamos hombres por Tophane y por los alrededores de los astilleros, y buscamos por los cafés de los ociosos y entre los vagabundos y los aventureros. Pero la mayoría de los que encontramos, por mucho que se introdujeran en aquel amasijo de hierro venciendo su temor, no aguantaban estar girando engranajes mientras, apiñados, se cocían de calor atrapados dentro de aquel extraño insecto, y acababan por marcharse. A finales de verano, para cuando por fin conseguimos ponerlo en marcha, se nos había agotado todo el dinero ahorrado durante años para aquel proyecto. El arma se movió torpemente entre las miradas asustadas y sorprendidas y los gritos de victoria de los curiosos, disparó sus cañones entre sacudidas atacando una fortaleza imaginaria, y se detuvo. De las aldeas y los olivares seguía fluyendo dinero, pero el Maestro disolvió el equipo que tan a duras penas habíamos conseguido reunir con la excusa de que resultaría demasiado costoso mantenerlo.

Nos pasamos el invierno esperando. El sultán, después de regresar de la campaña, se quedó en Edirne, que tanto le gustaba. Nadie preguntó por nosotros, estábamos solos. Y como no había nadie en palacio a quien entretener con nuestras historias por la mañana ni nadie con quien entretenernos en sus mansiones por la noche, tampoco teníamos nada que hacer. Yo intentaba pasar el tiempo haciéndome retratar por un pintor llegado de Venecia y con lecciones de laúd, mientras que el Maestro acudía cada dos por tres a Kuledibi a ver el arma, que había dejado custodiada por un vigilante. Cierto es que intentó perfeccionar el aparato añadiéndole cosas aquí y allá, pero pronto se cansó. Durante aquellas noches del último invierno que pasamos juntos ni siquiera me hablaba del arma ni de lo que pensaba hacer con ella. Le había sobrevenido un cierto torpor, pero no porque hubiera perdido su pasión, sino porque yo ya no le inspiraba.

Nos pasábamos la mayor parte de la noche esperando, esperando que amainaran la lluvia y la nieve, esperando que pasara el vendedor de *boza* por última vez a altas horas de la noche, que el fuego se convirtiera en brasas para echar otro leño a la estufa, esperando que la última lámpara temblorosa de la otra orilla del Cuerno de Oro se apagara, que nos llegara el tan esperado sueño o la oración del amanecer. En una de esas noches de invierno en las que tan poco hablábamos y en las que tan a menudo nos sumíamos en nuestras fantasías, el Maestro me dijo de repente que yo había cambiado mucho, que era otro completamente distinto. Se me hizo un nudo en el estómago y la frente se me cubrió de sudor; quise oponerme, quise decirle que no tenía razón, que seguía siendo el mismo, que nos parecíamos, que tenía que interesarse por mí como había hecho antes, que todavía teníamos muchas, muchísimas cosas de que hablar, pero tenía razón; mi mirada se desvió hacia el retrato que aquella mañana había recogido del taller del pintor, llevado a casa y colgado de la pared: había cambiado. Había engordado a fuerza de atracarme en los banquetes, me colgaba la papada, estaba fofo, mis movimientos eran más lentos. Y lo peor era que mi cara se había transformado en otra completamente distinta, en la comisura de mis labios se abría paso una cierta desvergüenza de tanto beber y besar en las fiestas, mis ojos parecían lánguidos de permanecer despierto sin tener en cuenta la hora o de caer inconsciente por la bebida, en mi mirada había una petulancia vulgar como la de esos estúpidos satisfechos de sus vidas, del mundo y de sí mismos, pero yo sabía que estaba contento con mi nueva situación, así que me callé.

Después, hasta el día en que supimos que el sultán nos reclamaba en Edirne junto con nuestra arma para ir a la guerra, tuve a menudo el mismo sueño. Estábamos en una fiesta cuyo alboroto recordaba a las de Estambul, en un baile de máscaras en Venecia. Yo me llenaba de esperanza al reconocer a mi prometida y a mi madre, a quienes veía entre la multitud cuando se despojaban de sus máscaras de «cortesanas», y me quitaba la mía para que ellas también me descubrieran, pero parecían no entender que yo era yo y señalaban a alguien a mi espalda con las máscaras, que sostenían por el astil; cuando me volví a mirar, vi que aquel hombre capaz de comprender que yo era el Maestro. Cuando me acerqué a él con la esperanza de que me reconociera, el hombre que era el Maestro se quitaba la máscara sin decirme nada, y tras ella aparecía, sobrecogiéndome con unos sentimientos de culpabilidad que me despertaron de mi sueño, mi propia juventud.

10

El Maestro se puso en movimiento a principios de verano, en cuanto supimos que el sultán nos esperaba tanto a nosotros como al arma en Edirne. Entonces comprendí que lo tenía todo preparado y que durante el invierno había mantenido el contacto con el equipo que había disuelto. Tres días después estábamos listos para el viaje. El Maestro se pasó la noche del último día revolviendo entre viejos libros de tapas rotas, opúsculos a medias, borradores amarillentos, ropas y cachivaches como si fuéramos a mudarnos a una casa nueva. Comprobó el funcionamiento del oxidado carillón del reloj de las oraciones y le quitó el polvo a los instrumentos astronómicos. Anduvo hasta la mañana escarbando entre los libros que habíamos escrito a lo largo de veinticinco años, los proyectos de máquinas que habíamos ideado y todo tipo de borradores. Al nacer el sol le vi pasando las páginas rotas y pálidas del cuaderno que yo había llenado con mis observaciones sobre los experimentos del primer espectáculo de fuegos artificiales que habíamos hecho. Me preguntó con timidez: ¿debíamos llevárnoslo? ¿Nos serviría para algo? Pero cuando vio mi mirada vacía se enfureció y arrojó a un rincón todo lo que tenía en las manos.

No obstante, durante aquel viaje de diez días a Edirne, seguimos sintiéndonos muy próximos, aunque no tanto como hacía años. En primer lugar, el Maestro estaba muy esperanzado: nuestra arma, que se movía lentamente entre espantosos crujidos y extraños ruidos y a la que llamaban monstruo, insecto, demonio, tortuga con flechas, fortaleza andante, hierro negro, muchachote, marmita con ruedas, gigante, cíclope, monstruo, temperamento de jabalí, gitano y aberración que mira al cielo, avanzaba a mayor velocidad de la prevista y, tal y como pretendía el Maestro, aterrorizaba a todos los que la veían. Le complacía notar que a lo largo del camino los curiosos llegados de las aldeas de los alrededores se alineaban en los cerros que bordeaban la carretera y contemplaban excitados la máquina, a la que no se atrevían a acercarse de puro miedo. Por la noche, cuando nuestros hombres, bañados en sudor por el esfuerzo del día, se sumergían en un sueño profundo en sus tiendas en medio de un silencio solo interrumpido por el cantar de los grillos, el Maestro me contaba todo lo que el muchachote le haría a nuestros enemigos. Cierto era que había perdido su antiguo entusiasmo y que le preocupaba tanto como a mí la reacción que mostrarían ante el arma el entorno del sultán y los militares y qué posición le darían a la máquina en el despliegue para el ataque, pero seguía siendo capaz de hablar con toda tranquilidad de ánimo y plena convicción de «nuestra última oportunidad», de cómo podríamos desviar el curso del río a nuestro antojo y, lo más importante, de algo que, como siempre, mantenía vivo su ardor: de «ellos y nosotros».

El arma entró en Edirne con una ceremonia que no resultó del agrado de nadie exceptuando el sultán y un puñado de aduladores sin adulterar de su séquito. El sultán recibió al Maestro como a un viejo amigo; habló de que era probable que estallara una nueva guerra, pero no se veían demasiados preparativos ni inquietud alguna; comenzaron a pasar los días juntos. Yo me unía a ellos; cada vez que montaban a caballo e iban a los oscuros bosques de los alrededores a escuchar el canto de los pájaros, paseaban en barca por el Tunca y el Meriç para observar las ranas, acudían a acariciar a las cigüeñas que se habían posado en el patio de la mezquita de la Selimiye tras ser heridas en sus luchas con las águilas o a estudiar el arma para comprobar una vez más sus posibilidades, yo siempre les acompañaba. Pero había algo de lo que me daba cuenta con dolor: no tenía nada que añadir a lo que hablaban, nada que pudieran escuchar con interés ni que pudiera descubrirles con toda sinceridad. Puede que sintiera celos de su proximidad. Pero también sabía que ya estaba harto; el Maestro insistía en la misma cantinela: me sorprendía que el sultán se siguiera dejando engañar con la misma historia inventada de victorias, de la superioridad de «los otros», de que ya iba siendo hora de que despertáramos y nos pusiéramos en movimiento, del futuro y de lo que había en el interior de nuestras cabezas.

Un día a mitad de verano, en la época en que se hicieron más intensos los rumores de guerra, el Maestro me llevó consigo diciendo que necesitaba a alguien fuerte. Caminamos a toda velocidad por Edirne pasando por los barrios de los gitanos y los judíos, por ciertas calles cenicientas por las que ya había deambulado antes de puro aburrimiento y por entre las casas de los musulmanes pobres, la mayoría de las cuales se parecían. Cuando me di cuenta de que la casa de la hiedra que había visto a mi izquierda pasaba ahora a mi derecha, comprendí que estábamos dando vueltas por las mismas calles, así que pregunté: nos encontrábamos en el barrio de Fildamı. De repente el Maestro llamó a una puerta. Le abrió un niño de ojos verdes y unos ocho años. «Los leones —le dijo el Maestro—. Los leones se han escapado del palacio del sultán y los estamos buscando.» Entró en la casa apartando al niño y yo le seguí. Olía a polvo, madera y jabón, y en la penumbra subimos a toda prisa por una escalera que crujía hasta llegar a un vestíbulo; el Maestro comenzó a abrir todas las puertas que tenía ante él. En la primera habitación dormitaba un viejo agotado con la desdentada boca abierta y dos niños alegres que intentaban tirarle de la barba para preguntarle algo se asustaron al abrirse la puerta. El Maestro la cerró y abrió otra: dentro había una pila de edredones y de tela para confeccionarlos. El niño que nos había abierto agarró el picaporte de la tercera puerta antes de que pudiera llegar el Maestro: «Aquí no hay leones, solo están mi madre y mi tía». No obstante, el

Maestro la abrió: dentro dos mujeres rezaban dándonos la espalda bañadas por una luz pálida. En la cuarta habitación había un hombre cosiendo edredones que, como no tenía barba, se parecía mucho a mí y que se levantó al ver al Maestro. «¿Para qué has venido, so loco? —dijo—. ¿Qué quieres de nosotros?» «¿Dónde está Semra?», preguntó el Maestro. «Se fue a Estambul hace diez años —contestó el hombre—. Murió de la peste. ¿Por qué no la habrás palmado tú?» El Maestro, sin decir una palabra, bajó las escaleras y salió de la casa. Mientras le seguía, pude oír a mis espaldas cómo el niño gritaba: «¡Han estado aquí los leones, madre!», y una mujer le respondía: «¡No, tu tío y su hermano!».

Quizá porque no podía olvidar lo que había ocurrido o quizá como preparación para mi nueva vida y el libro que todavía están leyendo ustedes tan pacientemente, dos semanas más tarde fui a ese mismo lugar una mañana temprano. Al principio me costó trabajo encontrar la calle y la casa, probablemente porque la luz me engañaba; cuando la encontré, intenté deducir cuál sería el mejor atajo para ir al hospital de caridad de la mezquita de Beyazıt, cuya localización había establecido de antemano. Fui incapaz de hallar un corto sendero ensombrecido por álamos que llegaba hasta el puente, probablemente porque me equivoqué pensando que habrían tomado el mejor atajo; al lado del camino flanqueado por álamos que sí encontré no había ningún río en cuya orilla uno pudiera sentarse a contemplar el agua mientras comía turrón. En cuanto al hospital, no existía nada de cuanto había imaginado: no estaba lleno de fango sino extremadamente limpio, y no se oía el rumor del agua ni había frascos multicolores. Al ver a un paciente encadenado, no pude aguantarme y le pregunté a un médico: se había enamorado, había enloquecido y, como la mayoría de los locos, se creía otro; me habría contado más cosas, pero me di media vuelta sin escucharle.

La decisión de iniciar la campaña, que habíamos llegado a pensar que ya nunca se adoptaría, se tomó a finales de verano, y el día que menos nos lo esperábamos. Los polacos, que no podían aceptar la derrota del año anterior ni, sobre todo, los impuestos que supuso, habían enviado un mensaje diciendo: «Venid aquí y cobrad los impuestos con vuestras espadas». En los días que siguieron a la noticia, el Maestro parecía que iba a asfixiarse de pura cólera; el ejército preparaba su orden de marcha, pero nadie pensaba en una posición para el arma, nadie quería estar junto a aquel amasijo de hierro mientras combatía, nadie esperaba que aquella gigantesca marmita tuviera la menor utilidad, y, lo que era peor, ¡creían que les traería mala suerte! El día anterior a la partida, mientras el Maestro observaba los augurios del porvenir de la guerra, nuestros enemigos condujeron la conversación hasta ese punto y afirmaron claramente que el arma podía suponer tanto la victoria como una maldición. Y cuando el Maestro me lo contó, me temí que pensaban que tras aquella maldición, más que el Maestro, me encontraba yo. El sultán dejó claro que confiaba en el Maestro y en el arma y, para acabar con la discusión, dijo que durante la guerra el arma estaría directamente bajo sus órdenes, que dependería de las tropas a su mando personal. A principios de septiembre, un día caluroso, dejamos Edirne.

Todo el mundo opinaba que la estación estaba demasiado avanzada como para marchar a la guerra, pero nadie se atrevía a decirlo en voz alta: yo acababa de descubrir que durante una campaña se temía tanto como al ejército enemigo, y a veces más, a la mala suerte y que se luchaba contra dicho temor. Nos sorprendió que el sultán nos hiciera llamar a su tienda la noche del primer día de nuestra marcha hacia el norte, tras cruzar cuidadas y ricas aldeas y pasar por puentes que nuestra arma hacía gemir. El sultán, como sus soldados, parecía un crío, con la curiosidad y la excitación del niño que ha empezado a jugar a un juego nuevo y, también como sus soldados, le preguntó al Maestro cómo interpretaba los sucesos del día: una nube roja que pasó por delante del sol poniente, halcones que volaban bajo, la chimenea rota de una casa campesina, las cigüeñas que descendían hacia el sur, ¿qué significaba todo aquello? Por supuesto, el Maestro lo interpretó todo de manera positiva.

Pero nuestro trabajo no había terminado: estábamos empezando a descubrir que el sultán era muy aficionado a escuchar historias terroríficas y curiosas en las noches en que estaba de campaña. El Maestro, a partir de los emotivos poemas de aquel libro que le habíamos entregado al sultán hacía años, y que era el que a mí más me gustaba de cuantos habíamos escrito, le pintó un oscuro cuadro, un cuadro feo y vivaz que hervía de muertos, derrotas sangrientas, fracasos, traiciones y miseria; pero, al mismo tiempo, la llama de la victoria brillaba en un rincón donde la asustada mirada del sultán pudiera verla: avivar las llamas de nuestras inteligencias, «la de ellos y nosotros», ser conscientes de lo que había en el interior de nuestras cabezas y de todas esas cosas que el Maestro me había contado durante años y que yo ahora prefería olvidar, ¡debíamos despertar cuanto antes! Cada noche el Maestro aumentaba poco a poco la oscuridad, la fealdad y el horror de aquellas desagradables historias que a mí me hastiaban, quizá porque creía que el mismo sultán se estaba cansando de ellas. Con todo, podía notar cómo el sultán se estremecía con agrado cuando le hablaba del interior de nuestras cabezas.

Las partidas de caza comenzaron a la semana de nuestra marcha. Un grupo de batidores, que acompañaba al ejército solo con ese objeto, se destacaba en vanguardia y, después de que hubieran reconocido el terreno, escogido el lugar más apropiado y puesto en movimiento a los campesinos, el sultán, los cazadores y nosotros nos apartábamos del cuerpo principal del ejército e íbamos a alguna fronda famosa por sus gacelas, a una ladera en la que corretearan los jabalíes o a un bosque que hirviera de zorros y liebres. Tras aquellas pequeñas y divertidas partidas de caza, que duraban horas, volvíamos al grueso del ejército con tanto alboroto como si regresáramos victoriosos de la guerra, y mientras los soldados saludaban al sultán, nosotros lo observábamos todo situados detrás de él. A mí me gustaban aquellas ceremonias que el Maestro contemplaba con rabia y odio; por las noches me gustaba más hablar con el sultán de la cacería que de la marcha del día, de la situación de las aldeas y pueblos por los que había pasado el ejército, o de las últimas noticias que nos llegaban del enemigo. Después de aquellas charlas, el Maestro empezaba con sus relatos y profecías, cada noche más violentos a causa de la rabia que le provocaban nuestras conversaciones, que encontraba tontas e intrascendentes. A mí, como a otros miembros de su séquito, empezaba a preocuparme que el sultán se creyera aquellas historias pretendidamente terribles y aquellas fantasías sobre el interior de nuestras mentes.

¡Pero aún había de ser testigo de cosas peores! Estábamos de cacería otra vez; se habían desalojado unas diez aldeas y sus pobladores habían sido dispersados por el bosque con la intención de que jabalíes y venados huyeran hacia el lugar donde les esperábamos con nuestros caballos y nuestras armas gracias al estrépito que producían los campesinos golpeando cacharros de hojalata, pero no vimos ningún animal hasta mediodía. Para aliviar el malestar que se había cernido sobre nosotros, provocado en parte por el calor del mediodía, el sultán le pidió al Maestro que contara una de esas historias que le estremecían por las noches. Avanzábamos lentamente, oyendo a lo lejos el apenas perceptible ruido de los cacharros, cuando nos detuvimos al llegar a una aldea cristiana. Entonces vi que el Maestro y el sultán señalaban una de las casas vacías de la aldea y que a fuerza de lisonjas convencían a un enjuto anciano que se había asomado por la puerta entreabierta para que se les acercara. Poco antes habían estado hablando de nuevo de «ellos» y del interior de nuestras mentes y, al ver la curiosidad en sus caras y que el Maestro le preguntaba algo al anciano por medio de un intérprete, me aproximé a ellos temiéndome lo que se me acababa de pasar por la cabeza.

El Maestro le preguntaba al anciano y quería que contestara de inmediato, sin pensar: ¿cuál era el mayor pecado, la peor maldad que había cometido en su vida? El campesino musitaba en una torpe lengua eslava que el intérprete nos traducía con lentitud: él era un pobre anciano inocente y sin pecado. Pero el Maestro insistía con una extraña furia y quería que hablara de sí mismo. El viejo solo aceptó su delito después de ver que el sultán sentía tanta curiosidad como el Maestro: sí, era culpable y él también debería haber salido de su hogar como el resto de la aldea y unirse a la partida de caza para perseguir a los animales como sus paisanos, pero estaba enfermo, tenía una excusa, no estaba tan vigoroso como para andar el día entero corriendo por el bosque, se estaba señalando el corazón y disculpándose cuando el Maestro se enfureció y gritó: eso no, le estaba preguntando por sus verdaderos pecados. Pero el campesino no parecía encontrarse en condiciones de entender la pregunta que le repetía nuestro intérprete y, llevándose dolorido la mano al corazón, se quedó paralizado. Se llevaron al anciano y el Maestro enrojeció terriblemente cuando otro que le trajeron repitió las mismas palabras. Mientras el Maestro le contaba a este segundo, a modo de ejemplos de maldad y pecado, mis faltas infantiles, las mentiras que me había inventado para que me quisieran más que a mis hermanos y los pecados contra la pureza que había cometido mientras estudiaba en la universidad como si le estuviera narrando los deslices de un pecador anónimo, yo me acordaba con asco y vergüenza de los días de la peste, que ahora, escribiendo este libro, recuerdo con tanta añoranza. El Maestro se calmó un tanto cuando el último aldeano que trajeron, un cojo, confesó entre susurros que espiaba en secreto a las mujeres cuando se bañaban en el arroyo. Sí, así era como se comportaban «ellos» al ser enfrentados a sus faltas, eran capaces de hacerles frente; pero ahora éramos nosotros quienes debíamos ser conscientes de lo que ocurría en el interior de nuestras mentes, etcétera, etcétera. Yo prefería creer que aquello no afectaba demasiado al sultán.

Pero le había picado la curiosidad. Dos días después, durante otra cacería en que corríamos tras los venados, cerró los ojos cuando se repitió la misma historia, quizá porque no pudo resistirse a la insistencia del Maestro o quizá porque el interrogatorio le complacía más de lo que yo hubiera creído. Esta vez habíamos cruzado el Danubio; de nuevo estábamos en una aldea cristiana, pero allí hablaban una lengua de raíz latina. Las preguntas del Maestro no fueron demasiado distintas. Al principio no quise ni siquiera escuchar las respuestas de los campesinos, asustados por las preguntas, cuya violencia me recordaba la de las noches de la peste en que conseguí que escribiera sus maldades, por el desconocido juez que se las hacía, y por el sultán, que le respaldaba con su silencio. Se apoderó de mí una extraña repugnancia; me ofendía, más que la actitud del Maestro, la del sultán, que se dejaba engañar o que era incapaz de oponerse a la atracción de aquel horrible juego. Pero no pasó mucho antes de que a mí también me sedujera aquella malsana curiosidad; nada pierde uno por escuchar, pensé, y me acerqué a ellos. La mayoría de los pecados y faltas, narrados en una lengua que a mis oídos resultaba más elegante y agradable, se parecían unos a otros: mentiras simples, pequeños engaños; un par de traiciones y un par de deslealtades; ¡como mucho, algunos robos insignificantes!

Por la noche, el Maestro me dijo que los campesinos no lo habían contado todo, que ocultaban la verdad; en tiempos yo había ido mucho más allá: debían de tener pecados mucho más profundos, mucho más reales, que les diferenciaran de nosotros. Convencería al sultán y, si era necesario, haría uso de la violencia para conseguir la verdad y demostrarle cómo eran «ellos» y luego cómo éramos «nosotros».

Los días siguientes transcurrieron en medio de aquella desagradable violencia, cada vez mayor y más absurda. Al principio todo había sido más simple; por entonces éramos como niños que en mitad de un juego gastan un par de bromas de mal gusto pero admisibles; las horas de interrogatorio eran como pequeños entremeses teatrales puestos en escena en medio de nuestras largas y alegres partidas de caza; pero luego se convirtieron en un rito que agotaba nuestra voluntad, nuestra capacidad de resistencia, nuestros nervios, y al que, por alguna extraña razón, éramos incapaces de renunciar. Veía a los campesinos estupefactos por el horror de las preguntas del Maestro y por su incomprensible rabia; si hubieran sabido exactamente qué se pretendía de ellos, puede que hubiesen contestado; veía a ancianos exhaustos y desdentados reunidos en la plaza de la aldea que antes de confesar tartamudeando sus pecados, o sus falsos pecados, pedían ayuda con miradas desesperadas a los que les rodeaban, o nos la pedían a nosotros; veía a jóvenes zarandeados y vapuleados porque sus confesiones y sus maldades no se consideraban suficientes: recordé cómo me había descargado un puñetazo en la espalda diciendo «Eres un…» después de leer lo que yo había escrito y cómo se le habían llevado los demonios mientras rezongaba furioso simplemente porque no había sido capaz de entender que yo fuese así. Pero ahora, aunque no fuera de una manera demasiado clara, sabía mejor lo que buscaba y a qué conclusiones quería llegar. Probó también otros métodos: de vez en cuando interrumpía a quienquiera que estuviera confesando y afirmaba que mentía; entonces nuestros hombres golpeaban al embustero. Otras veces detenía el interrogatorio afirmando que algún amigo contradecía sus declaraciones. En cierta ocasión probó a llamarlos a pares. Le enfureció ver que no descendían demasiado a las profundidades de la verdad y que los campesinos se sentían mutuamente avergonzados a pesar de la violencia que nuestros hombres les aplicaban con tanta deliberación.

Para cuando comenzaron unas lluvias que parecía que no fueran a amainar nunca, era como si yo también me hubiera acostumbrado a lo que estaba ocurriendo. Recuerdo que en la enfangada plaza de una aldea tuvimos horas esperando, mientras se les golpeaba sin razón y se empapaban, a unos campesinos que no podían decir gran cosa ni tenían intención de hacerlo. Las partidas de caza se fueron haciendo más insípidas y breves. Cierto, de vez en cuando cobrábamos alguna gacela de hermosos ojos, lo que entristecía al sultán, o algún enorme jabalí, pero ninguno teníamos ya la cabeza en los detalles de la partida sino en aquellos interrogatorios cuyos preparativos, como los de la cacería, se iniciaban con bastante antelación. Por las noches el Maestro me abría su corazón, como si se sintiera culpable de lo que había hecho durante el día. También a él le desagradaba todo lo que pasaba, la violencia, pero quería demostrar algo, algo que nos beneficiaría a todos: quería probárselo asimismo al sultán, y, además, ¿por qué creía que los campesinos ocultaban la verdad? Luego dijo que debíamos someter al mismo experimento a una aldea musulmana, pero aquello no le salió demasiado bien: aunque los interrogó sin presionarles en exceso, ellos, como sus vecinos cristianos, confesaron aproximadamente las mismas cosas, contaron las mismas historias. Era uno de esos días horribles en que la lluvia no amainaba y el Maestro murmuró algo sobre que los aldeanos no eran auténticos musulmanes, pero pude observar, mientras esa noche analizábamos los sucesos del día, que se había dado cuenta de que aquella realidad no se le había escapado al sultán.

Eso solo sirvió para aumentar su irritación y para que, como única esperanza, continuara haciendo uso de la violencia, de la que el mismo sultán se había cansado de ser testigo, aunque, al igual que yo, se veía arrastrado a contemplar por morbosa curiosidad. Avanzando hacia el norte llegamos a una región boscosa en cuyos pueblos se hablaba de nuevo una lengua eslava; en una aldea pequeña y agradable vimos cómo golpeó con sus propias manos a un joven apuesto que solo recordaba mentirijillas infantiles. Dijo que no volvería a hacerlo y por la noche le embargó un extraño sentimiento de culpabilidad que incluso yo encontré excesivo. En otra ocasión, bajo una lluvia amarillenta, me pareció que las mujeres lloraban viendo de lejos lo que les hacían a los hombres. Hasta nuestros soldados, que ya habían adquirido bastante pericia en su trabajo, estaban hartos; a veces eran ellos quienes, adelantándose a nosotros, escogían a alguien que les había llamado la atención para que confesara, y nuestro intérprete lo interrogaba por sí mismo antes de que el Maestro, a quien la cólera parecía haber dejado exhausto, le dirigiera ninguna pregunta. No era que no encontráramos curiosas víctimas que hacían largas confesiones como si llevaran años esperando sinceramente el día de aquel interrogatorio entre asustados y admirados por nuestra violencia, de la cual oíamos que corrían noticias de aldea en aldea haciéndola cada vez más legendaria, o por una justicia superior cuyo secreto no eran capaces de desvelar; pero al Maestro ya no le interesaban aquellas historias de maridos y mujeres que se engañaban o de campesinos pobres que envidiaban a sus vecinos ricos. Repetía continuamente que debía haber una verdad más profunda, pero creo que él mismo, como nosotros, a veces dudaba de que pudiésemos alcanzarla. O al menos le enfurecía percibir nuestras dudas, al tiempo que tanto el sultán como los demás intuíamos que no tenía la menor intención de abandonar. Quizá fuera por eso por lo que nos limitamos a observar cómo se hacía con las riendas del asunto sin intervenir. Una vez abrigamos esperanzas de que lo dejara cuando vimos desde un tejadillo bajo el que nos protegíamos del chaparrón cómo interrogaba durante horas hasta quedar empapado a un joven que maltrataba a su madre y que odiaba a su padrastro y a sus hermanastros; pero luego, esa misma noche, zanjó la cuestión diciendo que solo se trataba de un muchacho vulgar y corriente del que era mejor olvidarse.

Nos dirigimos hacia el norte, más hacia el norte; el cuerpo principal del ejército avanzaba con mucha lentitud por caminos enfangados rodeados de bosques profundos y oscuros, serpenteando por entre altas montañas. Me gustaban el aire fresco y oscuro que llegaba de aquellos bosques cubiertos de pinos y hayas, la vaguedad y el silencio brumosos que despertaban dudas. Nadie usaba aquel nombre, pero creo que estábamos en las estribaciones de los Cárpatos, que yo había visto cuando era niño, adornados por un mal pintor con ciervos y castillos góticos, en un mapa de Europa que tenía mi padre. El Maestro estaba enfermo porque había cogido frío con las lluvias, pero, no obstante, todas las mañanas nos apartábamos del grueso del ejército y nos adentrábamos en los bosques por caminos que se retorcían como si quisieran llegar lo más tarde posible a su destino. Por entonces parecíamos haber olvidado definitivamente las cacerías; ¡nos demorábamos junto a un arroyo o un acantilado no con la intención de abatir algún venado, sino como si quisiéramos que los aldeanos que se estaban preparando para nuestra llegada tuvieran que esperarnos!

Luego, cuando decidíamos que había llegado el momento, entrábamos en una de las aldeas y, después de cumplir con lo que habíamos ido a hacer, rápidamente nos dejábamos arrastrar por el Maestro, que nunca encontraba la joya que buscaba pero que nos pedía que fuéramos corriendo a otra aldea para olvidar a aquellos a quienes había ordenado golpear y su propia desesperación. En cierta ocasión quiso hacer un experimento; el sultán, cuya paciencia y curiosidad seguía sorprendiéndome, hizo llamar a veinte jenízaros y el Maestro les preguntó lo mismo a ellos y a los rubios campesinos que aguardaban atónitos ante sus casas. En otra, llevó a los campesinos hasta el grueso del ejército, les enseñó nuestra máquina, que se esforzaba en seguir a las tropas del sultán produciendo extraños ruidos por aquellos caminos enfangados, les preguntó qué pensaban de ella e hizo que un secretario transcribiera las respuestas, pero sus fuerzas se habían agotado, quizá porque, como decía, no sabíamos nada de la verdad, quizá porque él mismo se había hartado de aquella violencia sin sentido, quizá porque le aburrían los comentarios de los militares y los bajás sobre el arma y lo que ocurría en los bosques, o quizá simplemente por su enfermedad, no lo sé. Su voz carrasposa no sonaba tan enérgica como antes; no preguntaba con el antiguo entusiasmo aquellas cuestiones cuyas respuestas se sabía de memoria; mientras por las noches hablaba de la victoria, del futuro y de la necesidad que teníamos de despertar y liberarnos, era como si ni siquiera su propia voz, cada vez más baja, se creyera lo que decía. Recuerdo que lo vimos una última vez interrogando incrédulo a un puñado de estupefactos campesinos eslavos bajo una lluvia, que acababa de comenzar de nuevo, de un pálido color como el del humo del azufre. Nosotros estábamos apartados porque no queríamos oír más aquello; ellos, en medio de una luz fantasmal, borrosa por efectos de la lluvia, se miraban en vano las caras mojadas en un espejo enorme de marco plateado que el Maestro pasaba de mano en mano.

No volvimos a salir de «cacería»; tras cruzar el río habíamos entrado en tierras de los polacos. Nuestra arma, incapaz de avanzar por los caminos embarrados a causa de una lluvia cada vez más pertinaz, retrasaba la marcha del cuerpo principal del ejército, que ahora debía moverse con rapidez. Fue por entonces cuando se incrementaron los rumores sobre el hecho de que nuestra arma, que, en realidad, a los bajás no les gustaba lo más mínimo, estaba maldita y traería mala suerte; y los jenízaros que habían participado en los experimentos del Maestro echaban sal a la herida. Como siempre, más que al Maestro, me acusaban a mí, al infiel. Cuando él empezaba con su parloteo poético, que ya cansaba incluso al sultán, sobre la necesidad del arma, la fuerza del enemigo y la necesidad de despertar y ponernos en movimiento, los bajás que le escuchaban en la tienda imperial se convencían aún más de nuestra impostura y de que el arma nos traería mala suerte. Observaban al Maestro como si fuera un enfermo que ha perdido el rumbo pero que todavía tiene esperanzas; el verdadero peligro, el verdadero culpable, el que había urdido toda aquella fatalidad engatusando al Maestro y al sultán, era yo. Cuando por la noche nos retirábamos a nuestra tienda, el Maestro, con su voz enferma, hablaba de ellos con asco y rabia, como había hecho en el pasado al comentar su estupidez, pero ahora nos faltaban la alegría y la esperanza que, en mi opinión, nos habían mantenido en pie durante aquellos años.

No obstante, por lo que veía, no era hombre que dejara las cosas así como así. Dos días después, cuando nuestra arma se encalló en el lodo arcilloso provocado por la lluvia quedándose en medio del orden de marcha, yo perdí todas mis esperanzas; pero el Maestro continuó luchando, a pesar de estar enfermo. Nadie nos daba gente, ni siquiera caballos; acudió al sultán y consiguió unas cuarenta bestias, hizo sacar cadenas de los cañones y reunió hombres; al caer la noche, tras todo un día de esfuerzos azotando con rabia a los caballos bajo la mirada de los que rezaban porque el gigantesco insecto se quedara clavado en el barro, logró moverlo. Esa noche luchó también con los bajás que pretendían librarse de nosotros diciendo que el arma no solo traía mala suerte, sino que también provocaba problemas militares, pero yo podía notar que ya no creía en la victoria.

Esa noche en nuestra tienda, yo tenía en las manos el laúd que me había llevado precipitadamente cuando nos pusimos en marcha e intentaba tocar algo cuando me lo arrebató y lo arrojó a un lado. Dijo que querían mi cabeza y me preguntó si lo sabía. Sí, claro que lo sabía. Él habría sido feliz si hubieran preferido su cabeza a la mía. Pude notarlo, aunque no dije nada. Me disponía a recoger el laúd, pero me agarró del brazo y me pidió que le describiera aquello, mi país. Se enfureció cuando le conté un par de historias inventadas, como hacía con el sultán. Quería la verdad, detalles verdaderos: me preguntó por mi madre, mi prometida, mis hermanos. Me interrumpía mientras yo le contaba detalles «verdaderos» y, con el italiano que había aprendido de mí, susurró breves y entrecortadas frases de palabras ahogadas cuyo significado no pude entender demasiado.

En los días que siguieron noté que, con una última esperanza, se dejaba llevar por ciertas ideas absurdas y extrañas al ver los fortines enemigos que las tropas de vanguardia habían arrasado después de tomarlos. Una mañana cruzábamos lentamente una aldea incendiada cuando vio a unos heridos que agonizaban al pie de un muro, desmontó y echó a correr hacia ellos. En un primer momento creí que quería socorrerlos y le contemplé de lejos pensando que, de haberle acompañado un intérprete, les habría preguntado cómo se sentían de sus heridas; luego comprendí que le poseía un extraño entusiasmo y, como si supiera la razón que lo provocaba, adiviné que las preguntas que iba a hacerles serían otras. Al día siguiente, cuando fuimos con el sultán a ver los fortines y los pequeños alcázares que había a ambos lados del camino una vez libres de enemigos, seguía animado por la misma emoción: echaba a correr en cuanto veía a un herido aún no decapitado entre las estructuras derribadas o las empalizadas de troncos hechas un colador por los cañonazos. Yo le seguía, incluso sabiendo que pensarían que era yo quien le había instigado, con la intención de evitar que hiciera algo horrible o quizá por simple curiosidad. Era como si aquellos heridos, con los cuerpos destrozados por las balas y la metralla, fueran a decirle algo antes de que les cubriera la máscara de la muerte. El Maestro estaba dispuesto a interrogarles para que se lo contaran; se enteraría por ellos de aquella profunda verdad que lo cambiaría todo súbitamente, pero yo podía ver que identificaba de inmediato su propia desesperanza con la de aquellos rostros que abrazaban a la muerte, y que al acercarse a ellos se quedaba paralizado.

Llevado por el mismo entusiasmo, esa tarde acudió a ver al sultán cuando supo que el soberano estaba furioso porque no se había podido tomar el castillo de Doppio. A la vuelta se le veía dubitativo, pero como si no supiera de qué debía dudar. Le había dicho al sultán que quería enviar su arma al combate, que había estado preparando el artefacto durante años para ese día. El sultán, al contrario de lo que yo habría creído, le contestó que había llegado la hora, pero le ordenó que esperara hasta ver los resultados de Hüseyin Bajá el Rubio, a quien había encomendado dicha misión previamente. ¿Por qué habría dicho eso? Era una de esas preguntas que durante años fui incapaz de comprender si el Maestro se dirigía a sí mismo o a mí; por alguna extraña razón, yo pensaba que ya no me sentía tan próximo a él y que me había hartado de tanto desasosiego. Él mismo la respondió: porque les daba miedo compartir una parte de la victoria.

Empleó todas sus fuerzas en convencerse de aquella respuesta hasta que al mediodía siguiente nos enteramos de que Hüseyin Bajá el Rubio aún no había logrado tomar el castillo. Como se habían extendido bastante los rumores de que era un espía y un ser funesto, yo ya no iba a la tienda del sultán. Esa noche, cuando acudió a interpretar los sucesos del día, el Maestro logró contar historias de victoria y felicidad que, aparentemente, el sultán creyó. Al regresar a nuestra tienda se le veía embargado por el optimismo de quien por fin ha logrado quebrarle la pata al diablo y tener un golpe de suerte. Le escuché observando, más que aquel optimismo en sí, el esfuerzo que realizaba para mantenerlo.

Volvió a la vieja cantinela de ellos y nosotros, de las victorias futuras, pero en su voz había una amargura que hasta entonces nunca había visto que acompañara a sus relatos; era como si estuviese hablando de un recuerdo de la niñez que ambos conociéramos bien por haberlo vivido juntos. No dijo una palabra cuando tomé el laúd, ni cuando lo rasgueé con bastante poca pericia. Hablaba de los hermosos días que viviríamos en el futuro cuando lográramos desviar el curso del arroyo en el sentido que quisiéramos, pero ambos sabíamos que en realidad se refería al pasado: ante mis ojos aparecieron los tranquilos árboles de un jardín, cálidas habitaciones iluminadas por una luz resplandeciente, una mesa que hervía de familiares. Por primera vez en años me concedía paz; le di la razón cuando dijo que amaba a la gente de allí y que la separación sería dura. También se la di cuando, tras pensar un poco en sus compatriotas, se enfureció al recordar que eran estúpidos. Era como si su optimismo no fuera algo afectado o autoimpuesto, puede que se debiera a que ambos intuíamos la vida nueva que tan pronto nos aguardaba, o puede que fuese porque pensaba que, de estar en su lugar, yo haría lo mismo, no lo sé.

A la mañana siguiente, cuando enviamos nuestra arma contra uno de los pequeños fortines enemigos próximos al camino con la intención de probarla, ambos, con una extraña premonición, sabíamos que nuestro artefacto no conseguiría gran cosa. Los cerca de cien hombres que el sultán nos había facilitado para que nos apoyaran se dispersaron y huyeron durante el primer asalto que efectuó el arma. A algunos los aplastó la máquina y otros fueron heridos al quedar al descubierto fuera de su protección cuando, tras unos disparos bastante poco certeros, se encalló tercamente en el barro. No fuimos capaces de reorganizar para un nuevo ataque a los restantes hombres, la mayoría de los cuales que se habían lanzado a la fuga asustados por la mala suerte. Ambos debíamos de estar pensando en hacer lo mismo.

Más tarde, cuando los hombres de Hasan Bajá el Gordo tomaron en una hora el fortín sin demasiadas pérdidas, el Maestro quiso poner de nuevo a prueba aquella profunda ciencia, esta vez con una esperanza que no creí comprender demasiado bien, pero la guarnición entera del fortín había sido pasada por la espada; no quedaban ni siquiera agonizantes entre los muros derribados y humeantes. Y cuando vio las cabezas apiladas a un lado para ser llevadas ante el sultán, supe enseguida lo que pensaba; aún más, le daba toda la razón en su necesidad de saber, pero ya no quería ser testigo de tanto horror: le di la espalda. Poco después, cuando volví a mirar vencido por la curiosidad, se estaba alejando de las cabezas; nunca supe cuán lejos había ido.

Cuando regresamos a mediodía al cuerpo principal del ejército, nos dijeron que todavía no habían tomado Doppio. El sultán estaba furioso y hablaba de castigar a Hüseyin Bajá el Rubio: ¡el ejército entero iba hacia allá! El sultán le dijo al Maestro que, si el castillo no había caído para aquella tarde, nuestra máquina se uniría al ataque de la mañana. Por cierto, había ordenado decapitar a un comandante incompetente que había sido incapaz de tomar un pequeño fortín en todo el día. No hizo caso del fracaso de nuestra máquina, que acaba-ba de llegar al orden de marcha, ni de los rumores sobre su mala estrella. El Maestro ya no hablaba sobre la parte que le correspondería en la victoria; no lo decía en voz alta, pero yo sabía lo que pensaba: sabía que pensaba en el final de los anteriores grandes astrólogos, que se le pasaban por la cabeza las mismas cosas que a mí cuando soñaba con mi niñez y con los animales de nuestra granja, que era consciente de que la noticia de una victoria en el castillo era nuestra última oportunidad pero que en realidad no creía en ella, que no la quería, que la oración que musitaba un valiente sacerdote en una pequeña iglesia con el campanario en llamas en una aldea arrasada por la rabia de no haber podido tomar el castillo evocaba una vida nueva, que el sol que se ponía tras las arboladas colinas a nuestra izquierda según subíamos hacia el norte despertaba en él, tanto como en mí, un sentimiento de perfección, de algo que se iba completando lenta y silenciosamente.

Después de la puesta del sol y de enterarnos no solo del fracaso de Hüseyin Bajá el Rubio, sino también de que, además de los polacos, los austríacos, los húngaros y los kazakos habían acudido en defensa de Doppio, por fin vimos el castillo. Estaba en la cumbre de una colina bastante alta, en sus torres con estandartes se reflejaba el impreciso rojo del sol poniente, pero era blanco; blanquísimo y hermoso. Por alguna extraña razón, pensé que uno solo puede ver algo tan hermoso e inalcanzable en un sueño. Y, en dicho sueño, corres agitado por un camino que serpentea a través de un bosque oscuro para alcanzar la blancura de la cumbre, la blanca estructura; como si allí se celebrara una fiesta que no te quisieras perder, una felicidad que no quieres que se te escape, pero ese camino que crees que está a punto de acabarse nunca termina. Cuando supe que en la llanura que había entre el bosque oscuro y las faldas de la ladera existía una sucia ciénaga formada por el río, que se desbordaba a menudo, y que la infantería que había logrado cruzarla había sido incapaz de alcanzar la ladera a pesar del apoyo de la artillería, estaba pensando en el camino que nos había llevado hasta allí. Parecía que todo fuera perfecto, la imagen del castillo blanco que sobrevolaban los pájaros, de la ladera rocosa cada vez más oscura y del sombrío y tranquilo bosque: supe que muchas cosas que durante años había vivido como casualidades eran necesarias, que nuestros soldados nunca llegarían a las blancas torres del castillo, y que el Maestro estaba de acuerdo conmigo. Supe que el Maestro tenía tan claro como yo que a la mañana siguiente, cuando pasáramos al ataque, nuestra máquina se encallaría en la ciénaga abandonando a la muerte tanto a los hombres que habría en su interior como a los que se protegieran tras ella, y que luego, para aplacar los rumores de mala suerte, el miedo y a los militares, querrían mi cabeza arrojada a sus pies. Recordé que años atrás, para provocarle a fin de que hablara de sí mismo, le había mencionado a un amigo de la infancia con el que había desarrollado la costumbre de pensar lo mismo al mismo tiempo. No tenía la menor duda de que ahora él estaba pensando lo mismo. Esa noche no regresaba de la tienda del sultán, a la que había acudido bastante tarde. Como suponía con bastante certeza lo que le diría al sultán cuando este le pidiera ante los bajás que interpretara los sucesos del día y el futuro, en cierto momento se me pasó por la cabeza que lo habrían matado allí mismo y que los verdugos vendrían a por mí en breve. Luego imaginé que había salido de la tienda y que, sin avisarme, había ido derecho hacia el castillo, cuyos blancos muros refulgían en la oscuridad, había atravesado el cordón de centinelas, la ciénaga y el bosque y por fin había llegado allí. Cuando regresó, yo estaba esperando el amanecer pensando en mi nueva vida sin demasiado entusiasmo. Solo mucho más tarde, años después, tras hablar con ellos largo y tendido, logré saber que les había dicho a los presentes en la tienda lo que yo había supuesto. En ese momento no me contó nada, se movía agitado como alguien que está nervioso antes de salir de viaje. Me dijo que fuera había una espesa niebla. Yo comprendí.

Hasta que empezó a clarear le estuve describiendo todo lo que había dejado en mi país, cómo encontraría mi casa, lo conocidos que éramos en Empoli y Florencia, cómo eran mis padres, mis hermanos y el carácter de cada uno. Le mencioné algunos pequeños detalles particulares que los diferenciaban a unos de otros. Según le iba contando todo aquello, hasta el enorme lunar que mi hermano pequeño tenía en la espalda, recordaba que se lo había explicado con anterioridad. Pero aquellas historias, que cuando se las contaba al sultán pensaba que no eran ciertas sino solo reflejos de mi imaginación, como me ocurre ahora, mientras escribo este libro, en ese momento las creía de verdad: era cierto que mi hermana tartamudeaba ligeramente, que nuestras ropas tenían muchos botones, así como lo que veía por la ventana que daba al jardín de atrás de nuestra casa. Poco antes de amanecer pensé que estaba convencido de que aquellas historias podrían continuar allí donde se habían interrumpido aunque mucho más tarde. Sabía que el Maestro pensaba lo mismo, y que creía alegremente en su propia historia. Sin hablar y sin dejarnos llevar por los nervios, nos intercambiamos la ropa. Le entregué mi anillo y el medallón que durante tantos años había logrado ocultarle. Dentro tenía un retrato de mi bisabuela y un mechón de pelo de mi prometida que había encanecido por sí solo; creo que le gustó, se lo colgó del cuello. Luego salió de la tienda y se fue. Contemplé cómo desaparecía lentamente en la silenciosa niebla. Estaba clareando y yo tenía mucho sueño. Me acosté en su cama y dormí plácidamente.

11

He llegado al final de mi libro. Puede que mis inteligentes lectores lo hayan dejado de lado tras concluir que en realidad mi historia había acabado hace mucho. En tiempos yo pensé lo mismo y guardé en un rincón estas páginas, escritas hace años, con la intención de no volverlas a leer jamás. Por aquel entonces estaba dispuesto a entregar todas las energías de mi mente a las otras historias, a las que inventaba para mi propio placer y no para el sultán, la de un comerciante que se convierte en lobo y se une a su manada, relatos de amor en inhóspitos desiertos y bosques helados en países que nunca había visto; quería olvidar este libro, esta historia. Quizá podría haberlo conseguido, aunque me constaba que no sería fácil después de tantos rumores como había oído y tantas experiencias como había vivido, pero me dejé seducir por las palabras de un huésped que vino a verme hace dos semanas y volví a sacar el libro de donde lo tenía guardado. Hoy sé que, de entre todas mis obras, esta es la que más me gusta; la terminaré como debe ser, como deseo, como lo he soñado.

Desde nuestra vieja mesa, a la que me he sentado para acabar el libro, veo un pequeño velero que navega desde Cennethisar a Estambul, un molino entre los olivos lejanos, niños que juegan dándose empellones entre las higueras en la parte baja del huerto y el polvoriento camino que va de Gebze a Estambul. En invierno, con la nieve, no hay muchos viajeros, en primavera y verano veo las caravanas que se dirigen al este, a Anatolia, hacia Bagdad y Damasco; sobre todo pasan esos destartalados carros de bueyes que avanzan tan despacio, y a veces me emociono al ver a un jinete cuyas ropas no puedo distinguir, aunque, cuando se aproxima, comprendo que el viajero no viene a verme: en los últimos tiempos nadie viene y sé que ya nadie vendrá.

Pero no me quejo; para mí no existe la soledad: en los años en que ejercí de gran astrólogo ahorré mucho dinero, me casé y tengo cuatro hijos. Dejé el empleo en el momento más adecuado, quizá intuyendo los desastres que se avecinaban con el sexto sentido que me había hecho ganar el ejercicio de mi profesión: me refugié aquí, en Gebze, mucho antes de que los ejércitos del sultán fueran a Viena, de que con la rabia de la derrota ordenara que decapitasen a los bufones que le rodeaban y al gran astrólogo que me sucedió, de que nuestro soberano, tan aficionado a los animales, fuera destronado. Construí este caserón y me instalé en él con mis amados libros, mis hijos y dos de mis hombres. Mi esposa, con la que me casé siendo todavía gran astrólogo, es mucho más joven que yo, entiende mucho de asuntos domésticos y es ella quien se encarga de toda la casa y de otros asuntos insignificantes, dejándome solo en este cuarto todo el día para que yo, que tengo un pie en la setentena, escriba mis libros e imagine lo que quiera. Así puedo pensar en Él cuanto desee para encontrar un final adecuado a mi historia y a mi vida.

Sin embargo, en los primeros años procuraba no hacerlo. Cuando el sultán me preguntó por Él un par de veces, pudo ver que no me gustaba en absoluto aquel tema de conversación. Supongo que se quedó satisfecho con aquello, simplemente sentía curiosidad, pero nunca pude averiguar qué era lo que se la provocaba ni hasta qué punto. Al principio me decía que no debía avergonzarme porque Él me hubiera influido, por haber aprendido de Él. Sabía desde un primer momento que todos aquellos libros, calendarios y profecías que le había ido presentando a lo largo de años los había escrito Él; de hecho, también a Él se lo había comentado mientras yo estaba en casa afanándome con los bocetos de nuestra arma, que acabó encallada en la ciénaga; y sabía que me lo había contado, de la misma manera que yo le contaba todo a Él. Puede que por aquel entonces ninguno de nosotros hubiera perdido todavía la mesura, pero yo notaba que el sultán tenía más los pies sobre la tierra. Por entonces empecé a pensar que el sultán era más inteligente que yo, que sabía todo lo que había que saber y que jugaba conmigo para tenerme en un puño. Quizá hubiera en aquello cierto influjo del agradecimiento que sentía hacia el sultán por haberme salvado de aquella derrota que acabó encallada en la ciénaga y de la ira de los militares, rabiosos por los rumores de la maldición. Porque algunos soldados pidieron mi cabeza en cuanto supieron que el infiel se había fugado. Si en aquellos primeros años el sultán me lo hubiese preguntado abiertamente, creo que se lo habría contado todo. Por aquel entonces todavía no habían surgido rumores de que yo no era yo y me habría gustado hablar con alguien, le echaba de menos.

El hecho de vivir solo en la misma casa que habíamos habitado juntos durante tantos años me crispaba aún más los nervios. Tenía los bolsillos rebosantes de dinero y me acostumbré a ir al mercado de esclavos; estuve yendo y viniendo hasta que encontré lo que buscaba. Por fin compré a un pobrecillo que en realidad no se parecía demasiado ni a Él ni a mí y lo traje a casa. Esa noche le asusté de veras cuando le dije que me enseñara todo lo que sabía, que me hablara de su país y su pasado, aún peor, que me expusiera todos sus pecados, y finalmente cuando hice que se plantara ante el espejo. Fue una noche terrible, y el pobrecillo me dio pena: por la mañana lo manumitiría; pero me ganó la avaricia, lo llevé al mercado de esclavos y lo revendí. Luego hice saber por el barrio que había decidido contraer matrimonio. Vinieron muy alegres pensando que por fin acabaría pareciéndome a ellos, que por fin llegaría la tranquilidad a mi calle. Yo también estaba contento de parecerme a ellos, me sentía optimista y pensaba que se acabarían los rumores y que podría vivir en paz durante años inventándome historias para mi sultán. Seleccioné a mi esposa con sumo cuidado; por las noches incluso tocaba el laúd para mí.

Cuando volvieron a comenzar los rumores, primero creí que se trataba de un jueguecito del sultán porque sabía que le gustaba verme apurado y dirigirme preguntas que me sorprendieran. Al principio no me inquietaba demasiado cuando de repente decía cosas como: «¿Nos conocemos a nosotros mismos? Uno debería saber bien quién es»; pensaba que había aprendido aquellas fastidiosas preguntas de un sabelotodo aficionado a la filosofía griega del grupo de bufones serviles que había vuelto a reunirse a su alrededor y que de veras se las creía. Cuando me pidió que escribiera algo al respecto, le presenté mi último libro, en el que hablaba de las gacelas y los gorriones, que eran felices porque no pensaban sobre sí mismos ni sabían quiénes eran. Al enterarme de que se había tomado el libro en serio y lo había leído complacido, me tranquilicé un poco, pero los rumores también llegaron a mis oídos: estaba dejando al sultán por tonto porque ni siquiera me parecía a aquel cuyo lugar había ocupado, Él era más esbelto y delgado, yo estaba gordo; supieron que mentía cuando afirmé que nunca podría saber todo lo que Él sabía; algún día yo también escaparía durante una batalla después de sembrar mala suerte por doquier y, como Él, facilitaría la derrota entregándole al enemigo nuestros secretos militares, etcétera, etcétera. Para protegerme de aquellos rumores, que yo creía que procedían del propio sultán, me alejé de todo tipo de entretenimientos, no me dejaba ver en público, adelgacé y, tras cuidadosas pesquisas, me enteré de lo que se había hablado aquella última noche en la tienda del sultán. Mi mujer daba a luz un niño tras otro, mis ingresos eran buenos y yo solo quería olvidar los rumores, el pasado y a Él, y continuar tranquilamente con mi trabajo.

Aguanté casi siete años más; si mis nervios hubieran sido más templados y, sobre todo, si no hubiese intuido que el sultán se disponía a hacer una nueva limpieza en su entorno, podría haber aguantado hasta el final; porque, al olvidarla, me embargó de repente mi antigua personalidad, la misma que había pretendido dejar de lado según cruzaba las puertas que el sultán me abría. Ahora le respondía con descaro a esas preguntas sobre la identidad que tan nervioso me ponían al principio: «¿Qué importancia tiene quién sea uno? –le decía–. Lo que importa es lo que hemos hecho y lo que haremos en el futuro». ¡Creo que fue por esa puerta por la que el sultán entró en el armario de mi mente! Se irritó cuando me pidió que le hablara del país al que Él había huido, de Italia, y yo le contesté que no sabía demasiado al respecto: el sultán sabía que Él me lo contaba todo, ¿de qué tenía miedo?, me bastaba con recordar lo que me contaba. Así fue como le relaté una y otra vez al sultán Su infancia y algunos de Sus hermosos recuerdos, parte de los cuales he incluido en este libro. Al principio no estaba tan tenso y el sultán me escuchaba como debía, como se presta atención a alguien que cuenta lo que le ha oído a otro, pero en los años siguientes fue más allá; ahora me escuchaba como si le estuviera oyendo a Él. Después de preguntarme detalles que solo Él podría haber sabido, me pedía que no me asustara y que le contestara con la primera respuesta que se me viniera a la mente: ¿a qué se debía la tartamudez de su hermana? ¿Por qué no le habían aceptado en la Universidad de Padua? ¿De qué colores iba vestido su hermano durante el primer espectáculo de fuegos artificiales que vio en Venecia? Mientras le explicaba al sultán aquellos detalles como si hubiesen formado parte de mi vida, ambos nos encontrábamos, o bien dando un paseo en barca, o bien al lado de un estanque con nenúfares que bullía de ranas, o bien ante la jaula de plata de los desvergonzados monos, o bien en alguno de esos jardines tan llenos de recuerdos compartidos por los que en tiempos habíamos paseado los tres juntos. Entonces, el sultán, a quien tanto le gustaban las historias y el juego de las flores que se abrían en el jardín de nuestras memorias, me hablaba de Él como si recordara a un viejo amigo que nos hubiera traicionado: fue por entonces cuando me confesó que le había venido muy bien que se fugara porque, a pesar de lo mucho que le entretenía, había estado pensando muy seriamente en ordenar que lo mataran porque Su insolencia le resultaba insoportable.

Después me dio una serie de explicaciones que me asustaron porque no sabía a quién de nosotros se refería, aunque no hablaba con ira sino con cariño: hubo días en que había temido no poder aguantar más Su ignorancia y en que, furioso, habría ordenado matarle, ¡la última noche estuvo a punto de llamar a los verdugos! Luego me dijo que yo no era insolente y que tampoco me creía el hombre más inteligente y más capaz del mundo; y no había intentado aprovecharme del horror de la peste en mi propio interés; no les había quitado el sueño a todos durante noches con historias de niños-reyes a quienes habían empalado; y ahora no tenía a nadie en casa a quien acudir corriendo para burlarme de los sueños del sultán ni nadie con quien escribir cuentos entretenidos pero absurdos para engañarle. Mientras escuchaba todo aquello, me parecía verme a mí mismo y a ambos desde fuera, como en un sueño, y me daba cuenta atemorizado de que estábamos perdiendo la medida, pero en los últimos meses el sultán hablaba todavía más, como si pretendiera enloquecerme: yo no era como Él, ¡no había entregado mi mente a sofismas como qué podía ser lo que nos diferenciaba de «ellos»! Mi Diablo, que hacía tanto tiempo le había otorgado a Él la victoria sobre el otro diablo del firmamento oscuro en aquel espectáculo de fuegos artificiales que el sultán había visto desde la orilla opuesta cuando tenía ocho años y aún no nos conocía, ahora estaba con Él, ¡se había marchado con Él al país en el que creía que encontraría la paz! Luego, durante alguno de esos paseos por el jardín que tanto se repetían, el sultán me preguntaba cuidadosamente: ¿acaso era necesario ser sultán para comprender que la gente se parecía en los cuatro climas y los siete confines del mundo? Yo guardaba silencio asustado y, como si quisiera romper mis últimas resistencias, el sultán insistía: el que los hombres pudieran ocupar el lugar de otros, ¿no era la mejor prueba de que eran iguales en todas partes? Aquel asunto había ido demasiado lejos.

Como esperaba que algún día el sultán y yo lográramos olvidarle y tenía la intención de ahorrar mucho más dinero, puede que hubiera soportado todo aquello pacientemente porque me había acostumbrado al temor a la incertidumbre; pero el sultán abría y cerraba despiadadamente las puertas de mi mente como si vagara al azar por un bosque en el que nos hubiésemos perdido mientras cabalgábamos persiguiendo a una liebre, y además lo hacía delante de todo el mundo. Así que tuve miedo porque se hacía acompañar otra vez por aquellos bufones serviles y pensé que haría una nueva limpieza en su entorno confiscándonos nuestras propiedades y porque intuí los desastres que se avecinaban. Un día en que me hacía describirle los puentes de Venecia, el mantel bordado de la mesa en que desayunaba de niño, lo que había recordado cuando estuvieron a punto de decapitarle para que se convirtiera al islam y lo que veía por la ventana que daba al jardín de atrás de su casa, decidí que debía huir de Estambul a la mayor brevedad posible tan pronto como me ordenó que escribiera todo aquello en un libro como si me hubiera sucedido a mí.

Una vez en Gebze nos instalamos en una casa distinta para poder olvidarle. Al principio tenía miedo de que viniera gente de palacio para llamarme, pero nadie apareció preguntando por mí, ni nadie se inmiscuyó en mis ingresos; o me habían olvidado, o el sultán me vigilaba en secreto. No pensé mucho en ello, puse mis asuntos en orden, hice construir esta casa y organicé el jardín de atrás como mejor me pareció, siguiendo mis impulsos; pasaba el tiempo leyendo mis libros, escribiendo historias amenas para mi propio placer y atendiendo, más por diversión que por dinero, a los visitantes que venían a pedir consejo porque se habían enterado de que yo era un antiguo gran astrólogo. Quizá fuera entonces cuando mejor llegué a conocer el país en el que había vivido desde niño: antes de predecirles el futuro a los tullidos, a los desesperados que habían perdido a un hijo o a un hermano, a los enfermos desahuciados, a los padres con hijas solteronas, a los bajos que no crecían de manera alguna, a los maridos celosos, a los ciegos, a los marinos o a los enamorados ofuscados por la pasión, les hacía que me contaran sus vidas en detalle y por la noche escribía en cuadernos lo que había escuchado con la intención de usarlo en mis historias, tal y como he hecho en este libro. Fue por aquellos años cuando conocí a aquel anciano que trajo consigo una profunda amargura a mi habitación. Debía de tener diez o quince años más que yo. Se llamaba Evliya y en cuanto vi la tristeza de su rostro decidí que le consumía la soledad, pero no fue eso lo que me dijo: había consagrado su vida entera a viajar y a escribir un libro de viajes en diez volúmenes que estaba a punto de terminar; antes de morir iría a La Meca y Medina, los lugares más próximos a Dios, y también los describiría, pero su libro tenía una carencia que le molestaba, quería hablarles a sus lectores acerca de Italia ya que había oído hablar mucho de la belleza de sus fuentes y sus puentes, ¿acaso yo, a quien había venido a ver porque había oído de mi fama en Estambul, podía describírsela? Cuando le respondí que nunca había visto Italia me contestó que ya lo sabía, como todo el mundo, pero que le constaba que en tiempos había tenido un esclavo de allí que me lo contaba todo; si ahora se lo contaba yo a él, a cambio Evliya me narraría historias entretenidas: ¿no era lo mejor de la vida inventar y escuchar historias agradables? Sacó tímidamente un mapa de su bolsa, el peor mapa de Italia que nunca había visto, pero decidí describírsela.

Señalaba una ciudad en el mapa con sus dedos regordetes, que recordaban a los de un niño, y después de deletrear su nombre, pasaba cuidadosamente por escrito las descripciones que yo le daba. Además, para cada ciudad quería una historia curiosa. Así fue como pasamos trece noches en trece ciudades distintas, cruzando de norte a sur todo aquel país que yo veía por primera vez, y regresando en barco a Estambul desde Sicilia. Aquello nos llevó toda la mañana. Como había quedado muy satisfecho con lo que le había narrado, decidió divertirme y me habló de los funámbulos que desaparecían en los cielos de Acre, de la mujer de Konya que dio a luz un elefante y de su hijo, de los toros con alas azules y gatos rosados de las riberas del Nilo, de la torre del reloj de Viena y de los dientes que se hizo allí y que me mostró sonriendo, de la gruta parlante en las orillas del mar de Azov, y de las hormigas rojas de América. Por alguna razón, aquellas historias despertaban en mí una extraña amargura y me daban ganas de llorar. El rojo del sol naciente entraba en mi habitación; cuando Evliya me preguntó si yo tenía historias así de sorprendentes, le contesté, con la intención de dejarle de veras boquiabierto, que se quedara a dormir esa noche en casa con sus hombres: tenía una historia que le gustaría sobre dos hombres que ocupaban el uno el lugar del otro.

Esa noche, cuando todos se retiraron a dormir y cayó sobre la casa el silencio que ambos estábamos esperando, regresamos a mi habitación. ¡Fue entonces cuando soñé por vez primera esta historia que estáis acabando! Las frases se seguían lentamente unas a otras, no como si me lo estuviera inventando, sino como si alguien me estuviera susurrando en voz baja todas esas palabras: «Íbamos de Venecia a Nápoles y los barcos turcos nos cortaron el paso...».

Cuando terminé mi historia, mucho después de medianoche, se produjo un largo silencio. Podía notar que tanto mi huésped como yo estábamos pensando en Él, pero Evliya tenía una imagen completamente distinta en su mente. ¡No me cabe la menor duda de que estaba pensando en su propia vida! Yo también estaba pensando en mi vida, en Él, en que me gustaba la historia que acababa de contar; además me sentía orgulloso de todo lo que había vivido y soñado: la habitación en la que nos encontrábamos estaba repleta de recuerdos de lo que fuimos y lo que quisimos ser en tiempos. Comprendí con toda claridad que nunca Le olvidaría y que aquello me haría infeliz hasta el fin de mis días; ahora sabía que nunca podría vivir solo: era como si a medianoche, y junto con mi relato, hubiera aparecido en la habitación la sombra de un atrayente fantasma que a la vez que despertaba nuestra curiosidad nos inquietaba. Poco antes de amanecer, mi invitado, tras complacerme afirmando que mi historia le había gustado mucho, añadió que tenía algunas objeciones. Le escuché con atención porque quizá así me libraría del desasosegante recuerdo de nosotros dos y podría regresar cuanto antes a mi nueva vida. Debíamos buscar lo extraño y lo sorprendente, como en mi historia; sí, puede que eso fuera lo único que podíamos hacer contra el agotador aburrimiento del mundo; y como era algo que sabía desde aquellos años de infancia y de escuela en que siempre repetía las mismas cosas, ni siquiera se le había pasado por la cabeza pasarse la vida encerrado entre cuatro paredes; por eso la había consagrado a los viajes, a buscar historias por los caminos infinitos. Pero debíamos buscar lo extraño y lo sorprendente en el mundo, ¡no en nuestro interior! Rebuscar de aquella manera dentro de nosotros mismos y pensar tanto en nosotros nos hacía desdichados. Y eso era lo que les había ocurrido a los personajes de mi relato: por eso los protagonistas no podían soportar ser ellos mismos y siempre querían ser otros. Luego me planteó: supongamos que los sucesos de esta historia son reales, dijo, ¿acaso era capaz de creerme yo que esos hombres que ocupaban el lugar del otro podrían ser felices en sus nuevas vidas? Guardé silencio. Luego, por alguna extraña razón, me recordó un detalle de mi historia: ¡no debíamos dejar que nos descarriaran las esperanzas de un esclavo español manco! Si lo hacíamos, nos convertiríamos en otros distintos a fuerza de escribir ese tipo de historias y de buscar en nuestro interior, y, Dios no lo quisiera, lo mismo les ocurriría a nuestros lectores. No quería pensar siquiera en lo horrible que sería ese mundo en el que la gente siempre hablara de sí misma, de sus rarezas, en el que los libros y las historias siempre trataran de eso.

¡Yo sí quería! Por esa razón, en cuanto aquel diminuto anciano, al que en un solo día tanto aprendí a querer, reunió a sus hombres al amanecer y se puso en camino ligero como una pluma para dirigirse a La Meca, me senté enseguida para escribir mi obra. Puse en el libro todo cuanto estuvo en mi mano acerca de mí mismo y de Él, a quien no podía separar de mí tal vez con la intención de imaginar mejor a los hombres de ese horrible mundo del futuro. Pero en estos días en que he vuelto a leer este libro que hace dieciséis años arrojé a un rincón, he podido darme cuenta de que tampoco fue mucho lo que estuvo en mi mano. Por eso, pidiendo disculpas de antemano a los lectores a quienes no les gusta que uno hable de sí mismo –especialmente si se deja llevar por la impetuosidad de los sentimientos–, añado esta página:

Le quise, Le quise como había amado a ese yo desvalido y patético con el que había soñado, como si me ahogaran la vergüenza, la ira, la culpabilidad y la amargura de aquella imagen soñada, como si me dejara llevar por la vergüenza que se siente al ver a un animal salvaje que se muere de tristeza, como si me enfureciera el descaro de mi propio hijo, como si me reconociera a mí mismo con una tonta alegría y una tonta repugnancia. Y, quizá, sobre todo Le quise de la misma manera en que me había acostumbrado a los superfluos movimientos de insecto de mis brazos, de la misma manera en que comprendía los pensamientos que cada día producían ecos en los muros de mi mente para luego apagarse, como reconocía el inconfundible olor del sudor de mi cuerpo patético, mi pelo ralo, mi fea boca o la mano rosada que sostenía mi pluma: por eso no pudieron engañarme. ¡Nunca me dejé embaucar por todos aquellos rumores que surgieron después de que escribiera mi libro y lo arrojara a un rincón para olvidarme de él, por los embustes de todos aquellos que habían sabido de nuestra fama y habían querido aprovecharse de ella! ¡Estaba proyectando una nueva arma en El Cairo bajo las alas protectoras de un bajá! ¡Durante la derrota ante Viena Él estaba en la ciudad aconsejando al enemigo cómo vencernos de la forma más rápida! ¡Le habían visto disfrazado de pordiosero en Edirne, donde había apuñalado a un fabricante de edredones en una pelea entre comerciantes que Él mismo había provocado antes de desaparecer! Ejercía de imán en una mezquita de barrio en una lejana ciudad de Anatolia, había fundado una sala de relojes, quienes lo contaban juraban que era cierto; ¡además había empezado a reunir dinero para construir una torre de reloj! ¡Se había hecho rico escribiendo libros en España, adonde había ido siguiendo a la peste! ¡Incluso dijeron que era Él quien estaba tras las maniobras políticas que derrocaron del trono a nuestro pobre sultán! ¡Escribía libros deprimentes después de haber logrado escuchar por fin confesiones verdaderas en aldeas eslavas, donde lo trataban con tanto respeto como a cierto legendario sacerdote epiléptico! ¡Viajaba por Anatolia diciendo que depondría a los estúpidos sultanes, arrastrando tras de sí a una horda hechizada por sus profecías y sus poemas, y me invocaba para que me uniera a Él! Durante los dieciséis años en que escribí historias para olvidarle, para entretenerme con los horribles pobladores de los horribles mundos del futuro, para disfrutar al máximo de mi imaginación, escuché otros rumores como aquellos, pero no me creí ninguno. No sé si a otros les ocurrirá lo mismo; a veces mientras nos hacíamos insoportable la vida entre aquellas cuatro paredes en la ladera del Cuerno de Oro, a veces mientras esperábamos una invitación de palacio o de una mansión que nunca llegaba, a veces cuando complacíamos en nuestro odio mutuo, a veces también cuando nos sonreíamos escribiendo otro opúsculo para el sultán, de repente ambos nos fijábamos en algún pequeño detalle: un perro empapado que habíamos visto por la mañana, el oculto paralelismo de los colores y las formas de la ropa tendida entre dos árboles, ¡un lapsus que revelaba la simetría de la vida! ¡Eso es lo que más echo de menos ahora! Por eso he vuelto al libro de mi sombra, que supongo que algún curioso leerá años o quizá siglos después de Su muerte soñando más con su propia vida que con nosotros, aunque en realidad no me importa demasiado si nadie lo lee, y en el que he ocultado Su nombre enterrándolo, aunque no demasiado profundamente: para soñar de nuevo con las noches de la peste, con mi infancia en Edirne, con las hermosas horas que pasé en los jardines del sultán, con el escalofrío que me recorrió en la espalda cuando lo vi por primera vez, sin barba ante la puerta del bajá. Todo el mundo sabe que hay que volver a soñar la vida y los sueños que perdimos para poseerlos de nuevo: ¡yo me creí mi historia! Voy a terminar mi libro narrando el día en que decidí acabarlo. Hace dos semanas, otra vez sentado ante mi mesa intentando soñar en una nueva historia, vi a un jinete procedente de Estambul. En los últimos tiempos no venía nadie a traerme noticias de Él y, quizá porque les trataba con reserva, no creía que vinieran muchos en el futuro, pero en cuanto vi a aquel viajero con su extraña capa y su parasol, supe que venía a verme. Pude oír su voz antes de entrar en mi habitación: hablaba turco con sus mismos errores, aunque no con tantos como Él, pero pasó al italiano en cuanto entró en mi cuarto. Al ver que yo arrugaba el gesto y que no le respondía, me dijo en su turco chapurreado que había dado por supuesto que yo sabría algo de italiano. Luego me contó que había sabido de mi nombre y de quién era yo por Él. Después de regresar a su país había escrito un montón de libros sobre las increíbles historias que había vivido entre los turcos, sobre el último sultán, tan amante de los animales, y sus sueños, sobre los turcos y la peste, sobre nuestras normas de conducta en la corte y en la guerra. Gracias a la mágica atracción por el Oriente que comenzaba a extenderse entre los aristócratas y especialmente entre las damas elegantes, Sus libros habían sido recibidos con gran interés, Sus obras se habían leído mucho, había impartido clases en diversas academias y se había hecho rico. Además, Su antigua prometida se dejó llevar por el entusiasmo de Sus escritos, se separó de su marido sin atender a la edad que ya tenía, se casaron, compraron las propiedades familiares, que habían sido divididas y vendidas, se instalaron en ellas y devolvieron la casa y el jardín a su estado anterior. Mi invitado sabía todo aquello porque le había visitado en Su hogar en calidad de admirador de Sus libros. Él había sido muy cortés, le concedió un día entero, respondió a sus preguntas y volvió a contarle las aventuras narradas en Sus libros. Fue entonces cuando le habló de mí, y durante largo rato: estaba escribiendo un libro sobre mi persona titulado *Un turco a quien conocí de cerca*; se disponía a presentar a Su interesado público italiano toda mi vida, desde mi infancia en Edirne hasta el día en que nos separamos, ayudándose con Sus inteligentes comentarios personales sobre los turcos. «¡Cuánto le habló usted de sí mismo!», dijo mi invitado.

Luego, para sorprenderme, recordó ciertos detalles del libro, del cual había leído algunas páginas: cómo de niño había llorado amargamente después de darle una despiadada paliza a uno de mis amigos del barrio avergonzado por lo que había hecho, que era inteligente, que había asimilado en seis meses toda la astronomía que Él me había enseñado, que quería mucho a mi hermana, que era un hombre religioso que rezaba a las horas prescritas, que me encantaba la mermelada de cerezas, mi especial interés por la fabricación de edredones, la profesión de mi padrastro, etcétera, etcétera. Como sabía que no podría comportarme con frialdad con aquel idiota después del interés que había demostrado por mí y como sé que a la gente así le gustan ese tipo de detalles, le mostré mi casa habitación por habitación. Luego se interesó por los juegos de mis hijos pequeños y sus amigos en el jardín; anotó en un cuaderno las reglas no solo de la toña, sino también las de la gallina ciega, la pídola y el burro, que me pidió que le explicase, aunque este último no le gustó mucho. Fue entonces cuando me dijo que era un amigo de los turcos. Repitió lo mismo cuando aquella tarde, como no había nada mejor que hacer, le mostraba nuestro huerto y luego Gebze y la casa en la que había vivido con Él hacía años. Mientras examinaba cuidadosamente nuestra despensa paseándose entre tarros de mermelada y encurtidos, que le interesaron mucho, y tinajas de aceite de oliva y vinagre, vio el retrato que yo le había encargado a un pintor veneciano y se atrevió a ir un poco más allá; como quien revela un secreto, me confesó que en realidad Él no era un verdadero amigo de los turcos, sino que escribía cosas malas sobre nosotros: escribía acerca del principio de nuestro declive, hablaba de nuestras mentes como de armarios sucios llenos de porquerías, que no teníamos remedio, que nuestra única posibilidad de salvación era someternos a ellos cuanto antes, y que luego, durante siglos, no podríamos sino imitar a aquellos a quienes nos habríamos sometido. Para impedir que prosiguiera, le interrumpí diciendo de repente: «Pero Él quería salvarnos», a lo que mi invitado me contestó que sí, y para eso había construido el arma, pero nosotros no le habíamos comprendido; la máquina había sido abandonada en la ciénaga repugnante en que se había quedado encallada una mañana brumosa, como el espantoso pecio de un barco pirata que embarranca en los arrecifes durante una tormenta. Luego añadió: sí, había querido salvarnos de verdad. Pero eso no significaba que en Él no hubiera una malignidad diabólica. ¡Todos los genios eran así! Había tomado entre sus manos mi retrato y lo observaba de cerca mientras seguía susurrando algo sobre la genialidad: de no haber caído cautivo, de haber podido vivir en Su país, Él habría sido el Leonardo del siglo diecisiete. Luego volvió a ese tema de la maldad que tanto le gustaba, y me contó un par de cotilleos financieros sobre Él que se me han olvidado. «Lo extraño —dijo después— es que Él no ha influido para nada en usted.» Había podido conocerme y apreciarme, dejó clara su admiración por mí; pero no entendía cómo dos hombres que han vivido tantos años juntos podían parecerse tan poco. No me pidió mi retrato, como me temía; después de dejarlo en el mismo lugar del que lo había tomado, me preguntó: ¿podía ver los edredones? «¿Qué edredones?», le respondí confuso. Me miró sorprendido: ¿no me pasaba el tiempo libre cosiendo edredones? Fue entonces cuando decidí mostrarle el libro que no había tenido en mis manos desde hacía dieciséis años.

Le entusiasmó la idea, podía leer turco y me dejó claro que, por supuesto, le interesaba sobremanera un libro sobre Él. Subimos a mi cuarto de trabajo, que daba al jardín de atrás. Se sentó a nuestra mesa y yo encontré el libro donde lo había metido hacía dieciséis años como si lo hubiera colocado allí el día anterior; lo dejé abierto ante él. Era capaz de leer turco, aunque fuera despacio. Se sumergió en el libro con ese deseo de dejarse llevar sin abandonar el propio mundo, seguro y familiar, que yo había visto en todos los viajeros y que tanto me irritaba. Le dejé solo, salí al jardín y me senté en un diván de enea desde el que podía verle por la ventana abierta. Al principio parecía muy contento y me gritaba a través de ella: «¡Cómo se nota que no ha puesto el pie en Italia!». Pero luego se olvidó de mí; esperé tres horas allí, sentado en el jardín, a que acabara el libro, echándole un vistazo de reojo de vez en cuando. Cuando lo terminó, había comprendido; tenía el rostro desencajado; pronunció a gritos un par de veces el nombre del castillo blanco más allá de la ciénaga que había engullido nuestra arma; incluso intentó hablar conmigo en italiano, inútilmente. Luego, para descansar de lo que había leído y para digerir la sorpresa, se volvió y miró absorto por la ventana. Yo veía con agrado que al principio miraba a un punto infinito en el vacío, un punto focal que no existía, como hacen todas las personas en las mismas circunstancias, pero poco después, tal y como esperaba, él también lo vio: ahora estaba mirando el paisaje enmarcado por la ventana. No, no era tan estúpido como había creído, y mis inteligentes lectores ya se habrán dado cuenta. Tal y como esperaba, comenzó a pasar ansioso las páginas de mi libro, buscando algo; yo, complacido, esperaba que lo encontrara, y por fin lo consiguió y lo leyó. Luego volvió a observar lo que veía por esa ventana que daba al jardín de atrás de mi casa. Por supuesto, yo sabía muy bien lo que estaba viendo:

Sobre una mesa había una bandeja con incrustaciones de nácar con melocotones y cerezas, tras la mesa había un diván de enea en el que habían colocado unos cojines del mismo color verde que el marco de la ventana; allí estaba sentado yo, con un pie en la setentena; más allá se veía un pozo en cuyo brocal se posaba un gorrión, y olivos y cerezos. En el nogal que había entre ellos habían atado con largas cuerdas un columpio bastante alto que una brisa apenas perceptible balanceaba suavemente.

1984-1985

SOBRE *EL CASTILLO BLANCO*

Orhan Pamuk

Lo que voy a decir es algo que saben todos los escritores inteligentes que aman los libros tanto como para escribirlos como si los acariciaran: por mucho que satisfagan al autor y por mucho que terminen con un «fin» de lo más apropiado, hay novelas cuyos protagonistas continúan con sus aventuras en la imaginación del escritor fuera del libro una vez impreso. Algunos autores del siglo diecinueve intentaron narrar dichas aventuras en segundas y terceras partes. Otros, aquellos que no querían caer en las trampas de tener que forjar de nuevo un mundo ya firmemente establecido, añadían un capítulo al final de la novela en el que se agotaban a toda velocidad los posibles futuros de los protagonistas como si quisieran acabar así con aquella vida nueva y peligrosa que el libro podía continuar por sí solo. Y así leemos: «Años después Dorothea regresó con sus dos hijas a la granja de Alkingstone...» o «Por fin se arreglaron los asuntos de Razarov y ahora disfruta de unos buenos ingresos...», etcétera. Pero hay otro tipo de libros que viven sus nuevas vidas en la imaginación del autor, no gracias a las imprevistas aventuras de sus protagonistas, sino simplemente por las propias historias que cuentan. El libro cambia continuamente en la mente del escritor gracias a las nuevas ideas, imágenes y preguntas que le bullen en la cabeza, a ciertas oportunidades perdidas, a las reacciones de los lectores y de buenos amigos, a los recuerdos y a determinados proyectos. Al final, la imagen del libro que el autor tiene en la cabeza empieza a no parecerse a la que se vende en las librerías y que en un principio había pretendido, y al escritor le gustaría recordar cómo surgió aquel monstruo que se le ha ido de las manos.

Creo que tenía en la cabeza una primera y espectral idea de *El castillo blanco* cuando terminé *Cevdet Bey y sus hijos*: un adivino que a medianoche camina por las calles azules en dirección a palacio, de donde le han llamado. Y ese era el título del libro por aquel entonces. Mi adivino, que de entrada se dispone a trabajar de manera «científica» con las mejores intenciones, comienza a dedicarse, al principio de mala gana, al arte de la astrología, que no le gusta lo más mínimo pero que ha aprendido con facilidad gracias a su afición por la astronomía, con la intención de conseguir que sus conocimientos, que no son recibidos con gran entusiasmo, calen en palacio; pero luego, gracias al poder que le proporcionan sus profecías, comienza a conspirar. No sabía qué vendría después. Por aquel entonces recelaba de aquellos temas «históricos» que se me venían continuamente a la cabeza y no me interesó lo bastante la idea como para llevarla a la práctica porque me inquietaba esa pregunta que otra gente me hacía a menudo y que yo mismo me formulaba por entonces: ¿por qué escribe usted novelas históricas?

Antes, con veintitrés años, había escrito tres relatos históricos, y de *Cevdet Bey y sus hijos* también decían que era una obra histórica; era como si la respuesta a esa pregunta debiera estar más relacionada con mis inclinaciones espirituales que con mis gustos literarios: cuando era pequeño y tenía unos ocho años, como si tuviera que explicarlo todo, un día que subí desde nuestro piso, en el que todo se repetía y en el que en la radio siempre sonaba la misma cantinela, al de mi abuela, ensombrecido por sus oscuros muebles, cayó en mis manos, de entre los polvorientos manuales de medicina y los periódicos viejos y amarillentos de aquel tío mío que nunca regresaba de América, un enorme libro ilustrado editado por

Reşat Ekrem Koçu. Y así, en aquel piso en el que cada día se pasaban horas quitando el polvo para que volviera a acumularse como si fueran sombras, yo leía la historia de los desdichados monos de la tienda de animales de Azapkapı que fueron colgados de árboles porque se creía que eran instrumentos de prostitución. Los días de colada, en que todo el mundo, lavadora incluida, se dejaba arrastrar por una furia de agua caliente y detergente, yo me escondía en algún agujero y estudiaba los dibujos al carboncillo de las prostitutas de la calle Melek Girmez,* castigadas con la maldición de la peste. Mientras los relojes de péndulo del pasillo esperaban pacientemente dar una nueva hora, yo, poseído por un temor ansioso, me sumergía en la historia del convicto condenado a muerte al que, después de partirle brazos y piernas, colocaban en la boca de un cañón y disparaban al cielo como si fuera una bala. Un crítico que leyó uno de aquellos primeros relatos históricos míos, dijo que yo me refugiaba en la Historia para huir de los acuciantes problemas del presente.

La verdad es que aquel razonamiento me pareció de lo más correcto cuando, después de acabar *La casa del silencio*, imágenes históricas comenzaron a pulular ante mis ojos. Me propuse escribir algo corto entre novelas largas, una *nouvelle* con la Historia en primer plano, que me relajara y me divirtiera mientras la escribiese. Así pues, me sumergí en libros de ciencia y astronomía para darle forma a mi adivino. El divertido e incomparable *La ciencia entre los turcos otomanos* de Adnan Adıvar me dio los colores de la atmósfera que buscaba (hablaba de libros como *Extrañas criaturas*, que contaba historias de animales curiosos que tanto le gustaban también a Evliya Çelebi, de los países inexistentes que aparecían en opúsculos de geografía adaptados con bastantes modificaciones de otros libros, etcétera); la interpretación de Kepler en *El sonámbulo* de Arthur Koestler (¿Por qué yo soy yo?), el infantilismo de

* «Prohibida la entrada a los ángeles» o «Los ángeles no pueden entrar». *(N. del T.)*

Leonardo da Vinci y su pasión por construir un arma increíble (el sueño irrenunciable de todos aquellos que arden en deseos de agarrar al prójimo y darle una lección), la incurable afición por los libros de Kâtip Çelebi (envío un cariñoso saludo a todos esos enfermos que se refugian en una belleza más amarga todavía cuando no tienen a su alrededor a nadie con quien compartir sus dolores y sus gustos), fueron contagiándose sin querer a mis personajes. Supe de la existencia del famoso astrónomo otomano Takiyüddin por el libro *El observatorio de Estambul* del profesor Süheyl Ünver, y mientras proyectaba que mi protagonista encontrara y comentara su *Memorando sobre las ciencias*, obra hoy perdida que le presentó al sultán y en la que hablaba sobre los cometas, pude darme cuenta de la indefinición de la frontera que separa la astronomía de la astrología. En otro libro se decía lo siguiente sobre la astrología: «Pronosticar que un sistema va a hundirse no es una mala manera de derribarlo». Más tarde leí en la *Historia* de Naima que el gran astrólogo Hüseyin Efendi, como buen político, había intentado con todas sus fuerzas poner en práctica ese principio de la profecía.

Para cuando me cansé de aquellas lecturas, que no tenían ningún propósito definido como no fuera el de acumular colores para mi historia, tenía en mis manos un tema muy repetido en la literatura universal y particularmente en nuestra literatura y en nuestra vida: ¡un héroe que arde en deseos de hacer el bien, de ser útil a los demás! En esas novelas, que la mitad de los lectores lee guardando rencor al protagonista y la otra mitad vertiendo lágrimas por él, al bienintencionado héroe se le oponen traidoramente los malos. En novelas mejores podemos leer cómo los buenos van siendo tragados lentamente por el mal al que se enfrentan y cómo este les cambia. Quién sabe, quizá habría escrito algo así, pero me resultaba imposible encontrar la fuente de esa «bondad», del entusiasmo por el conocimiento y los descubrimientos que pondría en marcha al protagonista. Decidí que mi adivino aprendiera su ciencia de alguien que viniera de «Occidente» quizá porque vivimos en un país como el nuestro, que cambia no gracias a las personas en sí mismas y a lo que leen, sino a la admiración que despierta en ellos lo que escuchan de otros. Los esclavos que llegaban en atestados barcos desde aquellos lejanos países me venían como anillo al dedo. Y así fue como apareció esa relación señor-esclavo que recuerda a Hegel. Pensé que el Maestro y el esclavo se lo contarían todo, que se educarían el uno al otro, que para eso hacía falta que hablaran largamente, y los imaginaba a solas en una habitación en la ciudad a oscuras. La relación y la tensión espirituales entre aquella pareja se convirtió de repente en el punto central de mi historia. Cuando decidí darles cuerpo a los personajes de esa idea y esos fragmentos de relato engalanados por los colores que había ido acumulando para que pudieran moverse por entre las páginas del mundo de mi libro, me di cuenta de que, visualmente, no podía diferenciar demasiado al Maestro del esclavo italiano. Así fue como nació la idea de que fueran idénticos, quizá por una momentánea parálisis de mi imaginación. Mis lectores, amantes de la literatura, decidirán rápidamente que una vez en ese punto no me hacía falta esforzar demasiado la imaginación para dar el salto al famoso tema de los gemelos, de los sosias, de los que ocupan el lugar del otro, tan frecuente en ese tesoro al que llamamos historia de la literatura.

Así fue como mi historia, puede que debido a las obligaciones impuestas por su propia lógica interna o a mi pereza imaginativa, adquirió un aspecto completamente distinto que me entusiasmó. Por supuesto, conocía los libros basados en el tema del doble de E.T.A. Hoffmann –tan insatisfecho de sí mismo porque quería ser músico que añadió el nombre de Mozart, cuya vida narró, al suyo propio–, así como los inquietantes cuentos de Edgar Allan Poe y esa novela de Dostoievski, a quien me he permitido homenajear en el último capítulo con la leyenda del sacerdote epiléptico en la aldea eslava, que tanto induce a la rebeldía y que aquí se tradujo con el nombre de *El doble*. Me dio la impresión de que me iba a asfixiar después de echar un vistazo a quiénes habían hecho qué en literatura sobre este tema del doble en una biblioteca universitaria norteamericana en la que estuve hurgando tras publicar *El castillo blanco* para ver cuánto podía alargarse la lista. En situaciones parecidas, lo mejor que puede hacer uno para darse un respiro es recordar lo que ha sacado de sí mismo. En la escuela secundaria, nuestro profesor de biología presumía de ser capaz de distinguir a aquellos gemelos tan feos, pero en los exámenes orales cada uno de ellos ocupaba el lugar del otro. Primero vi las imitaciones de *El gran dictador* de Charlot y me gustaron, después vi la película original y no me gustó. Cuando era pequeño, era un gran admirador de un héroe de tebeos llamado Milyunrostros, que cambiaba continuamente de disfraz: ¿qué haría si ocupara mi lugar? Podría haberme dado una respuesta de haberse convertido en un psicólogo aficionado: en realidad todos los escritores quieren ser otro. En *El doctor Jekyll y Mr. Hyde* se refleja más la situación espiritual del propio Robert Louis Stevenson que la influencia de Hoffmann: ¡ciudadano de a pie de día, escritor de noche! Quizá mi sosias intentaría recordarles a mis lectores que soy del signo de géminis, pero yo le callaría diciéndole que había leído en algún sitio que no creía en esas cosas. Algunos lectores opinarán, con bastante razón, que toda esta confusión se parece a la que provoca el que yo me ponga a hablar al final de la obra después de que lo haya hecho Faruk, que encontró este libro mío y lo prologó. Como nuestro objetivo es la claridad, intentaré explicarme.

Yo tampoco sé si el manuscrito de *El castillo blanco* lo escribió el esclavo italiano o el Maestro otomano. Decidí usar la proximidad que sentía hacia el historiador Faruk, uno de los personajes de *La casa del silencio*, para eludir algunas dificultades técnicas que me surgieron escribiendo *El castillo blanco* (una serie de explicaciones necesarias para el lector y determinados datos históricos que debía transmitirle). Un problema técnico y de estilo que resolví gracias a él: algunos lectores que siguieron el consejo de uno de los personajes y no se leyeron el libro hasta el final (creer más al protagonista que al autor es uno de los fundamentos básicos de nuestra tradición novelística) mencionaron lo imprudente que resultaba que un turco escribiera un libro por boca de un italiano. Cervantes, a quien homenajeo en los capítulos primero y último de mi libro, debió de verse poseído por la misma preocupación en su momento ya que recurre a ciertos juegos de palabras innecesarios para hacer suyo *El Quijote*, que, según él, escribió aprovechando un manuscrito del historiador árabe Cide Hamete Benengeli. Faruk, al verter a la lengua actual, como Cervantes, el manuscrito que encontró en el archivo de Gebze, que recordarán todos los que conozcan *La casa del silencio*, debe de haber añadido al texto elementos de otros libros. Por cierto, a aquellos lectores que piensan que yo también, como Faruk, estuve trabajando en los archivos y hurgando entre manuscritos de polvorientos estantes de bibliotecas, me gustaría precisarles que no quise imponerme un trabajo como el suyo. Lo que sí hice fue aprovecharme de ciertos detalles que solo él podría haber encontrado. Los he diseminado en el prólogo que hice escribir a Faruk gracias a ese método del antiguo manuscrito encontrado que aprendí en los *Cuentos italianos* de Stendhal, que leí con tanto placer mientras escribía mis relatos históricos primerizos. Así iba acostumbrando a Faruk a trabajar a mi servicio —como había hecho con su abuelo Selâhattin Bey— en el caso de que quisiera escribir en otro momento nuevos relatos históricos, y me libraba del riesgo de introducir al lector en un baile de disfraces como si hubiera caído del cielo, lo más difícil de evitar en una novela histórica.

Decidí situar la acción de mi relato a mediados del siglo diecisiete no solo porque resultaba adecuado históricamente o porque fuera una época colorida y bulliciosa, sino también para que mis protagonistas pudieran aprovecharse de los escritos de Naima, Evliya Çelebi y Kâtip Çelebi, pero muchos diminutos fragmentos de vida que ocurrieron en siglos anteriores y posteriores se filtraron en mi obra a través de los libros de viajes. Para conseguir que mi bienintencionado y optimista italiano fuera esclavo del Maestro (los días en que cae prisionero con su barco y luego en los que ejerce como falso médico) usé un libro que presentó a Felipe II un español anónimo que un siglo antes, como Cervantes, había sido cautivo de los turcos.* Los días en las mazmorras del barón W. Wratislaw, que estuvo de galeote en los bajeles otomanos en la misma época en que Cervantes sufría prisión, me sirvieron de ejemplo para la vida carcelaria de mi esclavo. Usé las cartas de un francés que estuvo en Estambul cuarenta años antes que ellos, Busbecq, al hablar de los días de la epidemia (¡cualquier divieso despertaba el miedo a la peste!) y de los cristianos que se refugiaban de ella en las islas Príncipe. También recogí ciertos detalles de los testimonios de otras épocas, no de aquella en que transcurre la acción; por ejemplo, con respecto a los espectáculos de fuegos artificiales, a ciertos paisajes de Estambul y a los entretenimientos nocturnos (Antoine Gallant, lady Montagu, el barón de Tott), al amor del sultán por sus animales y a la casa de las fieras (Ahmet Refik), a la campaña militar contra Polonia (del *Diario del cerco de Viena* de Ahmet Ağa), a algunos de los sueños infantiles del sultán (de otro libro de Reşat Ekrem Koçu sobre el tema que leí en la biblioteca de la casa de mi abuela: *Casos extraños de nuestra Historia*), a los perros errantes o a las medidas que se tomaban contra la peste (de las *Cartas de Turquía* de Helmut von Moltke), o con respecto al castillo blanco que da nombre al libro (en su libro *Viajes por Transilvania*, profusamente ilustrado con grabados, Tadeutz Trevanian habla de la historia de la fortaleza y de una novela que había en su biblioteca sobre un novelista francés que cambia de identidad con un bárbaro).

Un par de puntos que no podrán descubrir los ratones de biblioteca que hacen que valga la pena vivir en tantos países aletargados, casi muertos, y que diferencian este libro del que podría escribir otro: el manicomio del complejo hospitalario de la mezquita de Beyazıt en Edirne y la música mágica que

* Se refiere al *Viaje de Turquía*. *(N. del T.)*

se tocaba allí para los enfermos son, por supuesto, de Evliya Çelebi, pero el fango invadiendo aquel hermoso edificio lo vimos mi mujer y yo, apenados y sintiendo un escalofrío, una nubosa y solitaria mañana de primavera. Lo mismo ocurre con las cigüeñas que tanto emocionan al sultán. Algunos de los sueños que tiene Mehmet el Cazador y que interpretan los protagonistas, en realidad los tuve yo (hombres oscuros con sacos). Tal y como le hicieron en su niñez a mi esclavo italiano, también a mi hermano mayor le pusieron mi traje nuevo porque el suyo estaba hecho pedazos, aunque no era rojo como el del libro sino azul y blanco. Si al regreso de un paseo una fría mañana de invierno mi madre nos compraba a mi hermano y a mí algo de comer (no turrón sino amarguillos de almendra), nos decía lo mismo que le decía al Maestro la suya: «Vamos a comernos esto sin que nadie nos vea». El enano pelirrojo del libro no tiene nada que ver con el clásico de mi infancia *El niño pelirrojo* ni con los enanos de otros libros que haya escrito o que escriba en el futuro: lo vi en 1972 en el mercado de Beşiktaş. Creía que la idea que proyecta el Maestro de construir un reloj que mostrara las horas de la oración con exactitud y al que no se necesitara darle cuerda durante mucho tiempo era solo algo que yo había imaginado en mi adolescencia, pero me equivocaba. Ha habido tanta gente que se ha interesado por este proyecto que me sorprende que todavía no se haya hecho realidad: alguien me ha dicho que los japoneses han inventado un reloj de pulsera parecido, pero no lo he visto.

Puede que haya llegado el momento de confesarlo: evidentemente, *El castillo blanco* no trata de lo realista o no que es la división Oriente-Occidente, una más de las clasificaciones posibles para establecer diferentes categorías entre los seres humanos y las culturas. Teniendo en cuenta que Faruk, en ese prólogo redactado con tan mal estilo y con unas observaciones y un entusiasmo tan superficiales, no podrá convencer a ningún lector, resultaría sorprendente que tanto los protagonistas del libro como sus lectores se interesaran por la diferencia Oriente-Occidente. Por supuesto, es necesario añadir un detalle: de no ser por los recelos provocados por el entusiasmo que ha despertado durante siglos dicha diferencia, esta historia no habría podido encontrar muchos de los colores que la mantienen en pie. Usar la peste como un papel tornasolado para la distinción Oriente-Occidente es una idea muy antigua. En un momento de sus memorias, el barón de Tott dice así: «¡La peste a un turco le mata, a un franco le resulta penosa!». Para mí, una observación de este tipo no es una tontería ni una migaja de información, sino solo un color que puedo usar durante la aventura de crear una ficción, parte de cuyos secretos estoy intentando desvelar. Puede que todo esto sirva para que el autor no olvide el libro y recuerde un pasado que amó, pero los colores no se agotan simplemente explicando cómo se han encontrado y acumulado.

Julio de 1986

ÚLTIMOS TÍTULOS PUBLICADOS
EN LITERATURA MONDADORI